LE MASQUE
Collection de romans d'aventures
créée par
ALBERT PI[illegible]

MORT DANS L'ASCENSEUR

Maître des problèmes de chambre close, John Dickson Carr est né en Pennsylvanie en 1906. Après des études peu brillantes et un séjour d'un an à Paris, il écrit son premier roman policier, publié en 1930, *Le marié perd la tête.* Il crée en 1933 et 1934 ses deux héros, le Dr Gideon Fell et sir Henry Merrivale (sous le pseudonyme de Carter Dickson), respectivement inspirés de G. K. Chesterton et Winston Churchill.

Président des Mystery Writers of America en 1949, il obtient la même année un Edgar spécial pour sa biographie de Conan Doyle. Ses œuvres *(La chambre ardente, Hier, vous tuerez, Le secret du gibet, etc...)* oscillent toujours entre le fantastique et l'énigme pure — domaines contradictoires s'il en est — et l'art avec lequel il jongle entre les deux a fait de lui l'un des plus grands de la littérature policière. Il est mort le 27 février 1977.

DU MÊME AUTEUR

DANS LE MASQUE :

SUICIDE À L'ÉCOSSAISE
LE SPHINX ENDORMI
LE JUGE IRETON EST ACCUSÉ
ON N'EN CROIT PAS SES YEUX
LE MARIÉ PERD LA TÊTE
IMPOSSIBLE N'EST PAS ANGLAIS
LES YEUX EN BANDOULIÈRE
SATAN VAUT BIEN UNE MESSE
LA MAISON DU BOURREAU
LA MORT EN PANTALON ROUGE
JE PRÉFÈRE MOURIR
LE NAUFRAGÉ DU TITANIC
UN FANTÔME PEUT EN CACHER UN AUTRE
MEURTRE APRÈS LA PLUIE
LA MAISON DE LA TERREUR
L'HOMME EN OR
SERVICE DES AFFAIRES INCLASSABLES
PATRICK BUTLER À LA BARRE
LA FLÈCHE PEINTE
TROIS CERCUEILS SE REFERMERONT...
LE LECTEUR EST PRÉVENU
LE GOUFFRE AUX SORCIÈRES
LA POLICE EST INVITÉE

DANS LE CLUB DES MASQUES :

LE FANTÔME FRAPPE TROIS COUPS

John Dickson Carr
et
John Rhode

MORT DANS L'ASCENSEUR

Traduit de l'anglais par Perrine Vernay

Librairie des Champs-Élysées

Ce roman, écrit avec la collaboration de John Rhode, a paru sous le titre original :

DROP TO HIS DEATH

PRINCIPAUX PERSONNAGES

SIR ERNEST TALLANT, *éditeur.*

PATRICIA TALLANT, *sa nièce.*

HELEN LAKE, *sa secrétaire.*

STEPHEN CORINTH, *directeur.*

ANGUS MAC ANDREW, *directeur commercial.*

GREY HAVILAND, *directeur des magazines et revues.*

WILLIAM LESTER, *directeur de la collection de romans policiers, fiancé à Patricia Tallant.*

G.P. O'REILLY, *directeur de la collection de romans d'aventures.*

PLUCKLEY, *chef mécanicien.*

HORNBEAM, *inspecteur en chef à Scotland Yard.*

DR GLASS, *médecin légiste.*

LA SCÈNE SE PASSE A LONDRES.

PREMIÈRE PARTIE

DESCENTE D'UN ÉDITEUR

I

A 11 heures, le Dr Horatio Glass pénétrait dans le *temple* : deux minutes plus tard, il commettait un sacrilège.

Ce préambule mérite quelques mots d'explication. Magnifique monument de pierre et de marbre, le *temple* domine St. Martin's Lane de son éblouissante blancheur. Le jour, ses fenêtres, admirablement entretenues, brillent d'un éclat sans pareil; la nuit, une enseigne lumineuse au néon inscrit sur la façade :

EDITIONS TALLANT, LTD.

On ne peut nier l'influence de cette maison sur la formation intellectuelle de nos contemporains. Vous l'avez subie vous-même : dans votre jeunesse l'oncle William, la tante Marthe vous ont certainement offert des ouvrages éducatifs ou religieux, signés Tallant. Le revue préférée de vos parents s'appelait *le Compagnon du Foyer*. L'explication de vos premières aspirations n'est-elle pas due à la lecture des collections d'aventures de chez Tallant? Et n'importe quel roman portant la célèbre griffe ne peut-il être mis entre toutes les mains?

Le secret de ce succès? La devise encadrée que sir Ernest Tallant avait fait poser sur les bureaux des membres de son comité de lecture : « Est-ce un bon livre? »

Sir Ernest ne se plaçait pas au point de la qualité littéraire, quoiqu'il en fût bon juge et qu'il l'appréciât. Non, ces mots signifiaient : Est-ce un livre moral? d'inspiration élevée? Nombreux furent les amis de la maison qui s'inquiétèrent lorsque l'éditeur, sacrifiant au goût du jour, se résolut à lancer une collection de romans policiers et une autre de récits d'aventures; mais leurs craintes étaient bien superflues, car ces nouvelles collections furent soumises à la même règle et par le fait réussirent au même titre que les autres publications Tallant.

Comme les magnats du cinéma, sir Ernest avait vu juste. Nous subissons tous le poids du péché originel, aussi encourageons-nous la vertu. « Puisque le vice ne paye pas, bannissons-le », aimait à répéter sir Ernest.

D'un coup d'œil, le Dr Horatio Glass embrassa les vastes proportions du temple, et malgré l'atmosphère calme de cette belle matinée de printemps, une grimace désapprobatrice assombrit ses traits. Son impression s'aggrava lorsqu'il pénétra dans le hall dont la froide ordonnance le glaça. Des jeunes femmes vêtues de noir y vaquaient sans bruit à leurs occupations; pour traverser la pièce, elles glissaient harmonieusement, telles des patineuses sur la surface polie du marbre. Elles étaient des vierges, des vestales, et semblaient mériter tout à la fois le nom et l'adjectif.

A droite le bureau de la réception. Dans le fond, à droite et à gauche, deux cages d'ascenseur; au milieu une porte de bronze plus petite, qui pouvait aussi être celle d'un ascenseur. Un portier galonné ajoutait à la majesté de l'ensemble.

Le docteur consulta d'abord l'inscription gravée

à même le mur, en dessus du bureau de la réception :

REZ-DE-CHAUSSÉE :
Bureau de la direction : *Mr Stephen Corinth*
PREMIER ÉTAGE :
Ventes et publicité : *Mr Angus Mac Andrew*
DEUXIÈME ÉTAGE :
Magazines et revues : *Mr Grey Haviland*
TROISIÈME ÉTAGE :
Ouvrages religieux et éducatifs :
Miss Patricia Tallant
QUATRIÈME ÉTAGE :
Romans policiers : *Mr William Lester*
Romans d'aventures : *Mr G.P. O'Reilly*
CINQUIÈME ÉTAGE :
Sir Ernest Tallant

– Ciel ! murmura-t-il.

Patricia Tallant était-elle l'élue de Bill Lester, celle qu'il devait épouser ? Pourvu qu'elle ne ressemble pas à son oncle ! La pensée que cette jeune fille s'occupait d'ouvrages « religieux et éducatifs » le fit frissonner et ce fut avec un surcroît d'intérêt qu'il traversa le hall. Malgré sa petite taille le Dr Glass marchait en se dandinant un peu et son air avantageux le faisait quelquefois mal juger car il était au demeurant l'homme le plus simple du monde.

Il se dirigeait vers l'un des ascenseurs lorsqu'une voix de tonnerre cria :

– Hé là ! Monsieur !

Majestueux et galonné, le portier fondait sur lui. Glass ne prenait jamais un parti simple quand un autre s'offrait à lui : aussi après avoir inspecté les deux ascenseurs principaux, s'était-il dirigé vers le plus petit, celui du fond. La porte de la cage, comme celles des autres, était de bronze, mais au lieu d'être à double vantail et à glissières, elle ne comportait qu'un seul vantail monté sur charnières; un panneau de verre laissait voir la cage. Au moment de l'intervention du portier, Glass cherchait le bouton d'appel.

– Où allez-vous, monsieur?

– En haut.

– Qui désirez-vous voir?

– Bill Lester.

Le portier désigna les autres ascenseurs.

– Prenez un de ceux-là, monsieur. Celui-ci est exclusivement réservé à sir Ernest. Personne d'autre ne s'en sert jamais...

– Il est automatique?

– Automatique et strictement privé, monsieur. Je ne cesse de le répéter toute la journée...

Venant de la cage, un léger bruit se fit entendre et une ombre obscurcit le panneau de verre. A travers celui-ci, Glass vit bientôt la cabine éclairée et un curieux tableau s'offrit à ses yeux.

Au premier plan un homme grand et mince lui tournait le dos; de face, il aperçut une jeune fille ravissante qu'une paire de lunettes d'écaille, portée comme par dérision sur le bout de son nez, ne parvenait pas à enlaidir; le pouce posé sur ce nez, elle lui faisait un pied de nez.

Glass regarda le portier.

– Est-ce un tableau vivant, mon ami? Un groupe allégorique destiné à représenter la vie intérieure du *temple?*

La cabine stoppa. L'homme de haute taille se retourna et le Dr Glass, enchanté de se trouver en présence de celui qu'il prenait pour sir Ernest, aperçut un visage osseux, intelligent et fin, mais qui était fatigué et usé, un visage à la peau sillonnée de rides profondes. La vivacité intellectuelle de cet homme commençait à décliner. La jeune fille lui tenait familièrement le bras.

– Je ne me représentais guère le Grand Mogol ainsi, observa Glass. Cependant...

Le portier lui jeta un regard exaspéré.

– Le patron? Mais ce n'est pas lui, voyons... Ce n'est que Mr Pluckley.

Dans le même temps il ouvrait la porte de la cage et s'adressait à la jeune fille.

– Pourquoi faites-vous des coups pareils, miss Pat? Sir Ernest se fâchera après moi s'il apprend que vous vous servez de son ascenseur. Vous le savez bien, pourtant!

– Elle s'y est faufilée pendant que nous étions au quatrième, dit le nommé Pluckley. Sortez, maintenant.

Malgré ses vêtements d'ouvrier et ses gants maculés de graisse, Pluckley s'adressait à Patricia Tallant avec familiarité, comme s'il la connaissait depuis toujours.

La jeune fille était vraiment charmante. Brune, mince, elle avait de beaux yeux bleus dans lesquels brillait une lueur malicieuse et portait avec élégance un tailleur gris de bonne coupe.

Glass eut néanmoins l'impression d'une certaine nervosité dans son attitude, nervosité partagée par les autres membres du personnel et qui se traduisait dans tout le temple par le cliquetis accéléré des talons sur les parquets... Elle sauta plutôt qu'elle ne sortit de la cabine. Lorsque le docteur se fut présenté, elle se détendit et lui sourit avec joie.

– Je suis si heureuse de faire votre connaissance! s'écria-t-elle. J'ai tant entendu parler de vous! Vous êtes le médecin légiste, le grand ami de l'inspecteur en chef Hornbeam!

– Hé oui! fit Glass en se rengorgeant.

– C'est vous, continua Patricia d'une voix pénétrée d'admiration, qui avez fourni à la police seize explications différentes de l'affaire Lauriston, toutes convaincantes du reste, mais non moins inexactes; l'inspecteur a failli en perdre la raison. Pour le cambriolage qui a eu Bayswater pour théâtre, vous avez démontré le seul moyen possible employé par MacGinnis pour voler les perles de lady Maynge. Or, il ne s'y était pas pris ainsi; mais votre explication, lorsque les journaux la publièrent a frappé quelqu'un d'autre et ce personnage peu délicat a fait main basse sur les diamants de la duchesse.

Le Dr Glass eut un geste plein de dignité.

– C'est un détail. Seul le principe compte à mes yeux.

Patricia changea de ton. Elle hésita, un instant.

– Votre visite a trait aux vols qui ont eu lieu ici, je suppose?

– Quels vols?

– Vous n'êtes pas au courant?

– Non, je suis venu voir Bill.

Elle rougit.

– Alors je devrais me taire, évidemment. Mais j'aimerais vous en parler. On a volé ici tout un lot d'objets hétéroclites; aucun d'eux n'a de valeur, Dieu merci, mais cela n'a pas amélioré l'humeur de mon oncle. Le dernier était le revolver de Bill, un revolver de 45.

– Un calibre 45? Dans son bureau? Qu'en faisait-il donc?

L'expression grave de Patricia se transforma en une moue franchement amusée.

– Il l'a acheté pour le montrer à George O'Reilly, le directeur de la collection d'aventures. Bien entendu, George n'est jamais allé aux Etats-Unis, il n'a jamais quitté l'Angleterre et il est souvent très gêné pour apprécier des manuscrits dont l'action est située au Far-West et où les héros se canardent sans arrêt avec des 45. Il est obligé de faire confiance aux auteurs. Aussi Bill a déclaré qu'il achèterait un de ces revolvers et qu'il l'apporterait à George pour lui en montrer le fonctionnement. Par la suite ils ont dû certainement en oublier l'existence... Allez donc voir Bill et faites-nous le plaisir de déjeuner avec nous. Il faut que je file si je ne veux pas me faire pincer. (Elle lança un regard circulaire.) Je m'occupe en ce moment de la nouvelle édition de notre grammaire française et il faut que j'aille me documenter à la bibliothèque. A bientôt. Je vous recommande notre Angèle.

Etonné, Glass la suivit des yeux. Angèle? Qui était cette personne? Il le découvrit au quatrième étage après avoir frappé contre une porte sur laquelle se détachait le mot « Renseignements ». Une vaste pièce s'offrit à ses yeux. Le tapis, très épais, semblait destiné à étouffer le bruit des pas et s'harmonisait avec la percale glacée de la tenture. A gauche, une porte sur laquelle il lut le nom de Lester, à droite une autre qui menait chez George Patrick O'Reilly; dans le fond, une porte qui commandait l'ascenseur particulier de sir Ernest Tallant. Et au centre le docteur aperçut une anguleuse divinité qui ajoutait une touche delphique à l'ensemble : posé sur le bureau, un petit chevalet métallique lui apprit qu'il se trouvait en présence de miss Angèle Wicks.

– Je désire voir Bill Lester, je vous prie...

– Mr Lester est absent en ce moment, répondit froidement miss Wicks. Avez-vous un rendez-vous?

– Oui et non. Il m'a dit de venir le voir aujourd'hui.

La divinité lui lança un regard désapprobateur.

– Je crois qu'il est auprès de sir Ernest. Je vais le prévenir, si vous le désirez. (Elle posa la main sur le téléphone :) Voulez-vous vous asseoir? Qui dois-je annoncer?

Il lui tendit sa carte.

– Glass, dit miss Wicks. Glass... Je penserai à une serre, si vous n'y voyez pas d'inconvénient.

– Aucun. Mais pourquoi?

– C'est un moyen mnémotechnique.

Etait-ce l'effet de la fonction officielle du docteur ou de son amabilité? La divinité se fit plus humaine au point de paraître son âge : trente-cinq ans.

– Je vois tant de monde! Et il faut que je me souvienne des noms de chacun. Ainsi vous vous appelez Glass et vous devez bien en descendre un de temps en temps.

– En descendre un? Un quoi?

– Eh bien un glass, voyons!

Involontairement le docteur assura son pince-nez.

– Normalement, je vous oublierais au bout de vingt-quatre heures. Or, je suis tenue de n'en rien faire. Aussi je procède par associations d'images et je pense à tout ce qui est en verre, les vases, les lunettes, les serres, les glaces, les glass. C'est infaillible.

Elle se tut et tressaillit, Glass crut qu'elle allait dire un gros mot. Peut-être était-ce l'atmosphère surchauffée du temple, ou encore le cliquetis lointain et entrecoupé des machines à écrire, mais l'anguleuse miss Wicks elle-même semblait atteinte de la nervosité générale; elle prit son mouchoir et le porta à son nez.

La porte de droite – celle qui menait au bureau du directeur des romans d'aventures – s'ouvrit brusquement et un jeune homme aussi corpulent que préoccupé en sortit; il lisait des placards d'imprimerie et grommelait entre ses dents. Glass remarqua son élégance poussée presque jusqu'au dandysme. Le jeune homme était si absorbé qu'il faillit buter contre le bureau de miss Wicks.

– Angèle ! Où est Bill ? Il n'est pas sorti ?

– Il est auprès de sir Ernest, Mr O'Reilly. Sir Ernest l'a fait appeler.

– Oh !

O'Reilly posa les placards sur le bureau.

– Il est sur le gril ?

– Je l'ignore.

George Patrick O'Reilly regarda le plafond tout en arrangeant son époustouflante cravate. Il portait une petite moustache. Quant à l'impression de jeunesse qu'il produisait à première vue, elle ne résistait pas à un examen plus attentif.

– J'en suis convaincu. Le patron est sur le sentier de la guerre, vous le savez comme moi. Mauvais, très mauvais... Il a convoqué Pat, aussi... je me demande s'il les a vus ensemble ? Attendons-nous aussi à des visites imprévues. Je ferais peut-être bien de prévenir Grey Haviland; Grey va sortir pour prendre un verre, comme d'habitude, et si le patron ne le trouve pas à son poste...

Miss Wicks toussota discrètement pour signaler la présence du visiteur, car O'Reilly ne l'avait pas encore aperçu.

– Euh ! Excusez-moi. Non; rien d'important, miss Wicks. Toujours ces histoires d'armes à feu.

– Monsieur pourrait peut-être vous renseigner ? dit la secrétaire. Il est médecin légiste... Permettez-moi de vous présenter Mr O'Reilly... le Dr Lemiroitier.

– Comment allez-vous ? s'écria le jeune homme avec cordialité. Vous êtes médecin légiste ? Bravo ! Vous devez bien connaître les armes à feu.

Surpris, le docteur se laissa entraîner dans un coin de la pièce où tous deux s'assirent.

– Voici ce dont il s'agit. J'ai lu quantité de

romans d'aventures, c'est mon métier. Mais celui-ci, *le Shériff de Whistling Gulch*, me paraît bourré d'invraisemblances. Au chapitre VIII, par exemple, le héros, Sliding Tom, avale en vitesse un whisky ou deux dans le *saloon* de Greasy Pete...

– L'auteur situe ce drame au temps de la prohibition ?

– Non, le général Custer y figure, cela se passe vers 1860... Vous n'y êtes pas, docteur. Le héros d'un récit ne doit pas s'adonner à l'alcool, c'est de mauvais goût et parfaitement inutile. Je supprime toujours ces passages et le public m'en sait gré.

Il avait pris un air sévère et parlait en homme qui récite une leçon.

– D'accord, continuez.

– Je disais donc que le héros se trouvait dans le *saloon* de Greasy Pete lorsque Flash Lannigan et sa bande arrivent ventre à terre. Les bandits attirent le héros dans la rue et la bagarre commence : seul contre dix, Sliding Tom se bat héroïquement. Mais c'est là que tout se gâte, car l'auteur dit expressément (p. 96) que le revolver de Tom est une arme à six coups. Or, je viens de relire le passage : « dans le feu de l'action il a fait feu treize fois sans recharger ». Comment m'en tirer ?

Glass réfléchit gravement.

– Supprimez une détonation et mettez-lui un revolver dans chaque main.

– Oui, j'y ai pensé. Mais que dira l'auteur ?

– Au diable l'auteur ! fit Glass.

Quoiqu'il ne s'en doutât pas, il venait de reprendre à son compte le slogan de toute l'édition.

– D'accord. En général, ils s'en moquent, mais ce livre a été écrit par Basil Bellemiche et il n'entend pas qu'on touche à son texte.

Le Dr Glass se leva.

– Un instant, mon cher ami. J'admets la plaisanterie, mais dans certaines limites. Vous n'essayez pas de me faire croire que ce malheureux est affublé d'un nom pareil? C'est impossible!

Etonné, O'Reilly le regarda.

Creusé par d'innombrables soucis, son visage de vieux jeune homme s'éclaira enfin. Il baissa la voix et, d'un geste, indiqua miss Wicks qui répondait au téléphone.

– En effet, mais nous en avons tellement pris l'habitude que nous n'y prêtons plus attention. C'est encore une invention d'Angèle. Ne vous a-t-elle pas révélé son système de mémorisation des noms. Ce type s'appelle en réalité Basil Bonpain, mais nous avons adopté la version d'Angèle par crainte qu'elle n'invente pire.

– Ce système ne vous accasionne-t-il pas plus d'ennuis que de facilités?

– Non, à moins qu'Angèle ne soit dans ses mauvais jours. Mais c'est une excellente employée, le patron l'apprécie beaucoup pour sa tenue et son allure pleine de dignité.

– Qu'entendez-vous par « ses mauvais jours »?

O'Reilly se mit à rire.

– Oh! rien, dit-il vaguement, l'influence du printemps qui approche, les vols, les petits ennuis de Pat concernant ses ouvrages éducatifs... peu de chose en somme. Nous aurions tous besoin d'un congé de temps à autre. Heureusement que Bill Lester a du caractère, il nous soutient. A propos, le voici.

Sa jovialité de commande disparut avec l'entrée de Lester. Glass remarqua aussitôt que le nouveau venu affectait, lui aussi, un air très assuré et, de plus, qu'il tenait obstinément sa main gauche dans sa poche, ce qui lui soulevait l'épaule de curieuse façon. Dès l'abord, il ne sembla pas voir le docteur; O'Reilly lui-même s'en aperçut. Il lui demanda :

– Vous avez vu le patron?
– Oui.
– Rien d'ennuyeux, j'espère?
Lester marqua un temps.
– Non... non. Si ce n'est qu'un nouveau vol a été commis.

II

Le Dr Glass n'avait pas vu Lester depuis quelques années, mais ne le trouva guère changé. Bill était un grand jeune homme mince et fin, aux gestes lents, au visage agréable surmonté d'une masse de cheveux bruns; l'expression sévère de ses traits était corrigée par la lueur amusée de son regard. On lui avait prédit une fois qu'il ne réussirait guère dans la vie : il se fiait trop à sa facilité. On lui reconnaissait un esprit délié, chez qui, hélas! l'action n'était pas la sœur du rêve; même pour se mettre en colère, il lui fallait mûrement réfléchir.
Il serra avec chaleur la main de Glass.
– C'est donc vous! Restez assis, je vous en prie. La description d'Angèle ne m'avait pas éclairé; elle m'a dit que vous vous appeliez Aquarium. Vous m'apportez de bonnes nouvelles, j'espère?
Il tenait toujours sa main gauche enfoncée dans sa poche. O'Reilly jeta un coup d'œil inquiet dans la direction de l'ascenseur.
– Attention au vieux, dit-il. Nous serions peut-être mieux ailleurs... S'il faisait une apparition...
– Bah!
– Oui, mais s'il est vraiment sur le sentier de la guerre? Qu'a-t-on encore volé?

– Le manuscrit original des articles du *Spectator* annoté de la main même d'Addison. C'est un bouquin relié, il a été fauché dans la bibliothèque là- haut, pour ainsi dire sous le nez de Helen Lake. C'est fou, Glass!

O'Reilly se leva d'un bond.

– Je regagne mon terrier. Le manuscrit d'Addison était sa joie, sa raison de vivre... Il vous a passé un savon? A quel sujet?

– Au sujet de *Meurtre dans la ménagerie.* Je serai obligé de refuser le livre qui est hélas très réussi. Le criminel enferme sans cesse les personnages qui le gênent dans la cage du tigre et Tallant trouve le procédé déplaisant, morbide et choquant pour le public... De plus il a appris mes fiançailles avec Pat.

– Oh! fit O'Reilly. Mes condoléances... Vous me comprenez. Quoi qu'il en soit, je rentre chez moi... Je ne tiens pas à être surpris.

Lester avait-il lancé la nouvelle avec préméditation? Le Dr Glass n'aurait su le deviner. Le jeune homme semblait porter le diable en terre. De sa main droite il prit un étui à cigarettes et l'offrit à son compagnon; toujours avec sa main droite il en prit une lui-même et attendit que le docteur lui donnât du feu.

– Eh bien, mon cher?

– Je suis venu, dit Glass, pour vous apporter la réponse de l'inspecteur Hornbeam; votre maison lui a fait une proposition plus qu'honorable pour la publication de ses mémoires, mais je suis au désespoir de vous annoncer son refus.

– Pourquoi?

– Il est encore en activité, les autorités ne lui permettraient donc pas de les publier. Attendez qu'il soit à la retraite et demandez-lui alors de se mettre au travail : mieux encore, demandez-moi de le rédiger à sa place. Son style manquerait peut-être d'éclat.

– L'imagination n'est pas son fort?

– Au contraire! Donnez-lui un mot croisé à résoudre et vous verrez! Mais la criminalité ne représente à ses yeux qu'un ensemble de faits divers sordides et dépourvus d'attraits. Son style pourrait s'en ressentir. Or, ce ne sont pas des rapports de police qu'il vous faut.

– Le meurtre n'a rien de romanesque, c'est certain.

– Non, pas forcément. Mais... (Glass se réveilla soudain.) Pourquoi parlez-vous de meurtre?

Lester portait sa cigarette à ses lèvres. Sa main s'immobilisa à mi-chemin. Une expression bizarre apparut dans ses yeux bien qu'il s'efforçât de sourire.

– J'en arrive maintenant à une question d'une tout autre nature. A titre de curiosité presque professionnelle, je désirerais savoir ce qui se passe dans cet asile de fous et je voudrais voir votre main gauche.

Le jeune homme hésita pendant un instant. Puis il sembla prendre un parti et sourit.

– Ne vous y trompez pas, dit-il gravement. J'ai prononcé le mot de meurtre parce que mon humeur est massacrante, voilà tout. Il n'y a jamais lieu de s'inquiéter lorsqu'on entend dire : « J'ai envie de tuer cet homme. » Quand on a vraiment l'intention d'assassiner quelqu'un, on ne le chante pas sur les toits.

– J'attends toujours que vous m'expliquiez l'atmosphère de cette maison. Est-ce... ?

D'un geste, le docteur désigna l'ascenseur privé.

– Nous souffrons, dit Lester, d'un excès de vertu. On nous gave de vertu, nous en sommes submergés du matin au soir. Remarquez – et c'est bien là le problème –, je suis généralement de l'avis du patron. Nous ne sommes pas des corrupteurs professionnels, je n'ai jamais tué personne ni pris la femme de mon voisin... En deux mots, je suis un Anglais moyen, ni meilleur ni pire, mais je sens que je m'enlise et j'ai envie de hurler avant de devenir fou...

Il s'interrompit; le Dr Glass ne fut pas dupe de son sourire.

– Comprenez-vous? Il est exaspérant d'en entendre parler sans cesse, de vivre dans ce bain de vertu, d'avoir les oreilles rebattues avec les goûts et les dégoûts du public. A chaque idée neuve, originale, le patron oppose une fin de non-recevoir. « Oui, Mr Lester, c'est ingénieux, mais... » En somme, on se sent ridicule.

» Je pourrais, à la rigueur, éprouver du respect pour lui s'il était profondément religieux ou au contraire parfaitement hypocrite. La plupart d'entre nous s'accommodent des puritains et nous sommes tous tenus de vivre avec des hypocrites. Mais mon futur... bel-oncle n'est ni l'un ni l'autre. Il se met à dos les esprits religieux aussi bien que les non-croyants. Il est intelligent et bon à sa manière; d'une scrupuleuse honnêteté pour un règlement important, il n'hésiterait pas à rogner dix shillings sur mes appointements si l'occasion s'en présentait. C'est sans doute la raison de mon ressentiment. Je le verrais volontiers en...

– Attention! dit le docteur.

Sir Ernest Tallant descendait, le bruit de l'ascenseur privé ne permettait pas d'en douter; mais la cabine ne s'arrêta pas à leur étage. A travers la vitre Glass eut la rapide vision d'un visage. A soixante ans, sir Ernest portait beau. Vêtu avec recherche, son complet gris s'harmonisait avec ses cheveux, sa cravate, sa chemise : une symphonie en gris. Droit comme un I, ne perdant pas un pouce de sa petite taille, l'éditeur se tenait dans un coin de la cabine.

– Il a pourtant l'air bien inoffensif, dit Glass.

– Vraiment?

Lester tira sa main gauche de sa poche. Les doigts pendaient, inertes, le poignet était enflé et décoloré par une ecchymose jaunâtre qui tournait au noir.

– Ma main a été prise dans une porte, dit-il sans changer de ton.

Il y eut un silence.

– Ce n'est pas lui qui...

– Oh! non! Ce fut accidentel. Savez-vous ce qui est arrivé là-haut ce matin?

Il avait évidemment oublié miss Angèle Wicks. Toujours assise à son bureau, l'anguleuse divinité semblait plongée dans un état de transe.

– Je vous écoute.

L'autre hésita.

– Soyons justes. Ces vols insensés l'ont rendu irritable...

– Précisément. Qu'a-t-on volé?

– Une pendulette de voyage; un avion en miniature; un calibre 45 et une édition *princeps* d'Addison.

– Une pendulette de voyage? répéta Glass. Pourquoi voler une pendulette...

– Parce que le patron l'aimait beaucoup, répondit l'autre avec violence. Parce qu'il ne s'en séparait jamais; elle trônait sur son bureau depuis des années. Je crois qu'elle lui avait été donnée par un grand écrivain, il y a longtemps, et il la considérait comme une sorte de fétiche... Comprenez-vous. Quelqu'un cherche à éprouver ses nerfs et à l'exaspérer par une série de petites persécutions. Je dois reconnaître que la mentalité de l'individu qui fait ça n'est pas incompatible avec l'atmosphère de cette boîte.

Intrigué, Glass réfléchit. Il eût préféré que les persécutions en question eussent été plus dangereuses.

– Un avion en miniature... Sir Ernest le considérait-il aussi comme un fétiche?

– Non, mais il en était très fier. George Belsize, l'aviateur qui a franchi l'Atlantique, le lui a donné quand nous avons publié son bouquin. C'est une petite merveille et qui vole vraiment. On l'a dérobé dans le bureau de Grey Haviland.

– Et le calibre 45?

– Ah! fit Lester.

Il tira une bouffée de sa cigarette. A l'arrière-plan, miss Wicks parlait doucement dans le récepteur du téléphone.

– C'est ce vol qui m'inquiète. Les autres peuvent s'expliquer à la rigueur, mais le revolver... non. Savez-vous qu'il m'appartient?

– Miss Tallant me l'a dit. Il n'était pas chargé, naturellement?

– Mais si.

Glass ôta son pince-nez et l'essuya soigneusement.

– Un revolver chargé, ici? Pour quoi faire? Enfin, passons... Où se trouvait cette arme?

– Dans le bureau de O'Reilly. Je ne saurais préciser davantage; je crois qu'il l'avait fourré dans un tiroir, ou sur une étagère.

– Qu'est-il arrivé ce matin?

– Vers 11 heures la sonnerie de mon bureau a retenti avec insistance : le patron voulait me voir. Je suis monté. Vous n'êtes jamais allé là-haut? Non? Eh bien, on entre d'abord dans un grand hall discrètement éclairé, genre cathédrale, et entièrement tapissé de livres. Les ouvrages précieux du patron sont enfermés dans une des bibliothèques et leur présence sert à impressionner les visiteurs. Au milieu, une secrétaire assise à son bureau, comme Angèle. Lorsque je suis arrivé, Pat sortait du Saint des Saints; elle avait un drôle d'air... A propos, ne m'avez-vous pas dit que vous l'aviez vue?

– Oui, en bas.

– Pat souriait aux anges, mais je la connais, elle bouillait de rage bien qu'elle n'en ait rien montré; elle n'a fait aucune allusion à l'entrevue; l'employée de la réception, Mrs Tailleur pouvait nous entendre. De plus l'ascenseur privé montait et le vieux Pluckley s'y trouvait. Il est le principal mécanicien de la maison et il inspecte régulièrement l'ascenseur chaque semaine : c'est son jour aujourd'hui. Pat et moi n'avions guère la possibilité de bavarder. Elle a sorti son calepin et m'a demandé comment dire en français : « Mon ami est ivre-mort; aidez-moi à le faire monter en taxi. »

– Ciel!

– Elle prépare une nouvelle édition de notre grammaire française et voulait savoir s'il fallait traduire « ivre-mort » par « beurré », « gris » ou « noir ». J'ai conseillé « noir ».

– Nous en discuterons plus tard. Qu'est-il arrivé ensuite?

– Elle a annoncé qu'elle descendrait dans l'ascenseur du vieux. Malgré les protestations de Pluckley, elle y est entrée...

– Je sais, je les ai vus en bas.

– Quant à moi, j'ai pénétré dans le sanctuaire, où je trouvai sir Ernest, toujours impassible et en contemplation devant ses ongles, qu'il a très soignés. Helen Lake, la secrétaire, était là aussi – une grande blonde du genre plantureuse et non dépourvue de... comment dirais-je?... de sex-appeal.

Glass leva les yeux.

– Dois-je en conclure que sir Ernest Tallant et miss Lake...

– Non, je ne crois pas. Elle a de l'admiration pour lui, c'est certain; vous comprendrez mieux quand vous la connaîtrez, c'est-à-dire que vous ne la comprendrez pas du tout. Bref, elle se tenait là, derrière sa chaise, et j'ai senti qu'ils faisaient front à l'ennemi commun.

– Vous?

– Bien entendu. Le vieux a commencé par une critique approfondie de la manière dont je dirige la collection policière. Il a démarré en douceur, m'a adressé quelques compliments, ce qui était mauvais signe. Puis il s'est mis à me chipoter et enfin il m'a déchiré à belles dents, mais toujours avec le sourire.

– A propos de *Meurtre dans la ménagerie*?

– Ça n'a été qu'un épisode. La collection, d'après lui, perd des lecteurs parce que l'élément sentimental n'y tient pas une place suffisante.

Le Dr Glass pouffa de rire.

– Je vois, dit Lester, que nous sommes du même avis. J'abomine ces belles filles de roman policier qui retardent l'action en refusant de se confier au héros pendant trois cents pages; et leur secret, lorsqu'elles le livrent, est toujours dépourvu d'intérêt. Mais tel était le sens du discours que j'ai dû subir : on me recommandait de sacrifier l'intrigue bien menée aux charmes de ces jeunes personnes.

» J'ai essayé de discuter, je lui ai parlé de deux ouvrages excellents que j'ai sur mon bureau; ils sont aussi ingénieux qu'amusants, mais ne comportent presque pas de « sentiment ». Il m'a conseillé de les refuser. J'ai insisté sur l'originalité des intrigues, il m'a répondu que les lecteurs s'en souciaient comme d'une guigne, qu'ils refermeraient le bouquin en disant : « Bah! une nouvelle méthode pour supprimer ses semblables? C'est idiot, sans intérêt. L'auteur est un imbécile... » Que peut-on opposer à de tels propos?

– Rien, sinon un argument frappant.

Lester fit la grimace.

– C'était un coup monté, bien entendu. Inutile d'ajouter qu'à la fin de l'entretien, je n'en pouvais plus. En me reconduisant jusqu'à la porte, il m'a dit d'un air paterne : « Etant donné votre aversion pour le beau sexe, Mr Lester, vous comptez sans doute rester célibataire? »

– Ah!

– Oui. Je suis resté un instant interdit. Puis j'ai pris la seule décision possible. Il s'était tourné vers Helen et disait : « Avez-vous jamais connu semblable misogyne, miss Lake – Jamais », a-t-elle répondu. Je l'ai donc regardé dans les yeux et je lui annoncai mon intention d'épouser Patricia. Il s'est contenté de répondre qu'il avait eu vent de ce projet et que nous en reparlerions. Puis il a ouvert la porte.

Lester se leva et s'en fut écraser sa cigarette sur le sol de marbre, entre la carpette et le mur. Il semblait avoir complètement oublié le temps et l'accompagnement lointain des machines à écrire.

– C'est à ce moment, reprit-il, que l'accident s'est produit. Nous nous tenions sur le seuil lorsque Mrs Tailleur, l'employée de la réception, est arrivée tout émue : elle nous a annoncé que le fameux volume renfermant les articles du *Spectator* manquait dans la bibliothèque. Sir Ernest lui avait demandé de le lui porter, car il devait le prêter au London Museum pour une exposition. Le vol avait évidemment eu lieu avant ce matin car Mrs Tailleur et Pluckley étaient restés toute la matinée dans la pièce et tous deux ont affirmé que personne ne s'était approché de la bibliothèque en question.

» Là-dessus, le volcan a fait éruption. Oh! sans bruit... Comme je vous l'ai dit, je me tenais sur le seuil et j'avais la main posée sur le montant. Impassible, le patron s'est contenté de déclarer qu'il aviserait, mais avant que je sache ce qui m'arrive la porte s'est refermée violemment.

Ici, Lester leva sa main et la regarda.

– Je ne prétends nullement que ce ne fut pas un accident; il y avait un fort courant d'air. Du reste la douleur a été si vive que j'ai presque perdu connaissance. Je n'ai pas prononcé un mot, eux non plus.

– Ils n'ont rien vu?

– Apparemment. Mrs Tailleur dit qu'Angèle avait téléphoné pour annoncer qu'un certain Dr Levitrier m'attendait. Je suis descendu et après une courte station au lavabo je me suis senti mieux. Bah! tout cela n'a guère d'importance... Attention!

Il s'interrompit et mit ses mains dans ses poches : la grande porte venait de s'ouvrir et de livrer passage à Patricia Tallant. Lester était peu démonstratif, mais néanmoins son visage s'éclaira lorsqu'il aperçut la jeune fille; elle entra, les yeux baissés sur son calepin.

– Salut, Bill! Salut, docteur! Peut-être saurez-vous m'aider. Etes-vous calé en français?

– Il fut un temps, répliqua Glass avec dignité, où mon accent passait pour...

– Parfait! Voici : *Sixième leçon. Bonjour, monsieur le professeur. Bonjour, Albert. Ce soir nous allons à Montmartre. Qu'allons-nous voir à Montmartre, monsieur le professeur? Nous allons voir... Et voici le hic* : doit-on dire « *de nues femmes* » ou « *des femmes nues* »? Je m'y perds lorsque le nom est accompagné d'un adjectif.

– Seigneur! gémit Glass. Pourquoi vous faut-il ce renseignement?

– Pour ma grammaire française.

– Vous êtes folle, Pat! dit Lester. Ce texte ne passera pas, vous le savez bien. Avez-vous donc l'intention de corrompre tous les écoliers du Royaume-Uni? Ce cours de grammaire, expliqua-t-il à Glass, consiste en une série de conversations entre le jeune Albert et un invraisemblable professeur aux mœurs dissolues... Pat, c'est impossible.

– Pourquoi ne pas leur donner des notions pratiques? rétorqua la jeune fille, imperturbable. Regardez le texte ancien : « *Je vais déclarer ma volaille à la douane.* » « *Garçon, appelez une voiture; je désire me rendre au Jardin botanique.* » Avez-vous jamais connu quelqu'un qui désirât se rendre au Jardin botanique, en voiture ou autrement? « Soyons à la page, répète mon oncle, soyons modernes... »

– Peu importe, Pat, vous déraillez.

Elle ôta lentement ses lunettes.

– Je le sais bien, dit-elle. Bah! tant pis.

Glass respira.

– J'en conclus que vous ne publierez sans doute pas les aventures du jeune Albert à Montmartre?

Il écouta à peine sa réponse car il observait attentivement la jeune fille aux beaux yeux, si semblable en apparence aux héroïnes des romans que publiait Lester, mais infiniment plus humaine. Elle s'adressa à son fiancé.

– Bill... Vous l'avez vu, n'est-ce pas?

– Oui.

– Lui avez-vous parlé de nous ?
– Euh !
Le Dr Glass fit mine de s'éloigner, mais elle le retint par sa manche.
– Non, ne partez pas, je vous en prie. Nous avons besoin d'un avis et vous m'inspirez confiance. Vous avez l'air compréhensif, un peu fou, aussi…
– Je suis comblé !
– Ne vous formalisez pas, vous me comprenez si bien.
– Admettons-le. Mais où est l'obstacle ? Vous voulez vous maricr ? Eh bien, n'hésitez pas. La question d'argent ne se pose pas puisque Bill, en plus de ses appointements, a sept ou huit cents livres de revenu, sauf erreur… Alors ?
Ils n'avaient pas entendu le bruit de l'ascenseur qui montait. La cabine s'arrêta à leur étage : il y eut un déclic, et la porte s'ouvrit pour livrer passage à sir Ernest Tallant.

III

Glass mit un moment à comprendre sir Ernest. L'éditeur n'était pas de ces personnalités qui vous dominent, qui vous écrasent par leur scule présence. D'essence plutôt subtile, sa force consistait en un don qu'il possédait au plus haut degré : celui de mettre chacun dans son tort.
On le sentait, dès l'abord, à la voix nette, coupante, à l'allure décidée du personnage. Sir Ernest ne perdait pas un pouce de sa petite taille. On le disait bon, mais sa bonté même était une concession : chez lui, tout était concession. Quand il

embauchait un employé dont il avait besoin, c'était une manifestation d'altruisme; quand il payait une somme due, c'était une faveur; quand il dînait en ville, son hôte devenait son obligé; ceux qu'il roulait en éprouvaient presque de la reconnaissance... Bref, il avait amassé une très grosse fortune.

Glass se demanda s'il allait s'approcher du petit groupe réuni près de l'ascenseur. Sir Ernest n'en fit rien, à peine s'il sembla remarquer leur présence. Il fondit sur miss Wicks qui se leva respectueusement.

– Restez assise, je vous en prie... J'attendais ce matin un certain inspecteur Hornbeam. Est-il venu ?

Un regard sévère accompagnait ces paroles, comme si la carence du visiteur dût être imputable à miss Wicks.

– Non, sir Ernest.

– Il est sans doute allé voir Mr Lester ?

– Non, sir Ernest.

– C'est ennuyeux.

Il consulta sa montre, mais toujours sans le moindre coup d'œil aux trois personnes groupées près de l'ascenseur.

– Un policier devrait donner l'exemple de l'exactitude. Passons. Il est midi. Je déjeune très tôt ce matin et je suis obligé de quitter le bureau à midi et quart au plus tard. Si l'inspecteur en chef vient avant 12 h 15, ne dérangez pas Mr Lester. Priez-le de monter directement chez moi. (Tallant marqua un temps.) Vous pouvez lui dire que je désire le consulter. Vous pouvez ajouter aussi que je suis renseigné maintenant sur l'identité de celui qui essaye d'instaurer ici un régime de terreur en volant des objets précieux.

Un léger tremblement agita le crayon de miss Wicks, mais elle ne dit rien.

– Ah! j'allais oublier : prévenez Mr O'Reilly et Mr Lester qu'une réunion, de tous les chefs de service, aura lieu dans mon bureau cet après-midi à 3 heures. Je compte sur leur présence. C'est tout.

L'air satisfait, il retourna vers l'ascenseur. D'abord éberlué par l'assurance du personnage, le Dr Glass se mit en travers de sa route, tel un joueur de rugby qui s'apprête à plaquer l'adversaire.

– Vous parliez, je crois, de l'inspecteur en chef Hornbeam?

Tallant s'arrêta net et toisa le docteur.

– Etes-vous l'inspecteur Hornbeam?

– Non, je...

– En ce cas, monsieur, que désirez-vous?

Glass se contint avec peine.

– Je voulais vous dire que Hornbeam ne viendra pas, ni en qualité de détective ni autrement. Il ne peut écrire ses mémoires et il n'a pas le temps d'enquêter ici. Voilà...

L'autre s'enquit du nom de Glass, de ses titres et qualités. Puis il s'abîma dans un mutisme réprobateur. Ce fut Patricia qui rompit ensuite le silence.

– Vous ne me reconnaissez pas, mon oncle? Je suis Pat, et voici Bill Lester qui travaille chez vous!

– Vos visages me sont familiers, en effet, admit Tallant avec bonhomie.

– Vous connaissez donc l'identité du voleur? demanda Pat.

Un grand silence plana.

– Je pourrais vous prier de retourner à vos bureaux, dit-il en regardant les deux jeunes gens. J'ai quelquefois l'impression que mes employés flânent à l'excès. Rendez-moi justice : je ne vous prie même pas de travailler... n'est-ce pas?

– Mais...

– A bientôt, ma chère enfant.

Tallant s'engouffra dans la cabine, referma la porte et pressa le bouton. Comme l'ascenseur montait, ils le virent qui prenait place dans un coin, les bras croisés, une expression presque heureuse répandue sur ses traits.

– Nom d'un chien! grommela Lester. Voilà qui n'augure rien de bon : chez lui, cette attitude annonce toujours l'orage.

– C'est bizarre, dit Patricia. Il ne savait rien ce matin. D'où venait-il maintenant?

– Je peux vous l'apprendre : il est descendu pour voir Grey Haviland, j'ai aperçu une note sur son agenda. Quelqu'un a dû cafarder et lui dire que Grey a l'habitude de sortir pendant les heures de bureau. Mais rassurez-vous, j'ai prévenu Grey et si le patron est allé le surprendre il l'aura trouvé plongé dans ses papiers, en plein travail... L'union fait la force, docteur, telle est la devise de la maison. Vous comprendrez lorsque vous aurez fait la connaissance de Grey Haviland.

Glass n'eut pas longtemps à attendre. La porte du couloir s'ouvrit bientôt pour livrer passage à un individu long et maigre, au visage jaunâtre. Il n'avait sans doute guère dépassé la quarantaine mais paraissait davantage. Un tic ajoutait à l'aspect curieux du personnage : il clignait souvent des yeux en penchant la tête comme un tireur qui cherche le guidon de son fusil. Il serrait sous son bras une grande boîte en carton.

– J'ai trouvé le corps du délit, dit-il à Lester.

Patricia poussa une exclamation. Quant au docteur, il était résolu à ne plus s'étonner de rien.

– Attention, dit Lester. Le Dr Glass a des attaches avec Scotland Yard.

Les présentations faites, Haviland ne sembla nullement ému. Il répandait autour de lui une forte odeur de clous de girofle.

– Un émule du célèbre Dr Watson? demanda-t-il. (Assez curieusement, le ton n'avait rien d'insolent; son attitude envers le monde témoignait d'une telle amertume qu'on ne pouvait plus la prendre au sérieux.) Eh bien, tant mieux. J'ai un cadavre à vous soumettre.

– Voyons?

Haviland posa la boîte sur une chaise et souleva le couvercle. A l'intérieur gisaient les restes d'un modèle d'avion Douglas qui paraissait avoir été écrasé par un maniaque atteint d'une crise de rage.

– Du beau travail... Une pure merveille, ce joujou, et qui fonctionnait admirablement. On l'a systématiquement écrabouillé. L'homme qui a fait cela serait capable d'assommer sa grand-mère.

Il y eut un moment de silence gêné. Lester prit l'avion et le remit en place.

– Où l'avez-vous trouvé?

– Dans le placard de mon bureau. Je suis arrivé en retard ce matin et je l'ai trouvé en rangeant mon chapeau. On cherchait à me compromettre, bien entendu; ou encore le vandale en question est-il un homme d'ordre qui aura voulu remettre l'objet à sa place.

– Qu'avez-vous fait?

– Rien, comme d'habitude. Après avoir recouvert les débris avec un journal, je me suis assis et j'ai réfléchi, en pure perte, du reste, car mon travail n'exigeant guère de matière grise, je manque d'entraînement. Je vous remercie de votre avertissement, Bill; j'ai à peine eu le temps de mâchonner quelques clous de girofle que sir Ernest faisait irruption dans mon bureau. Tout en m'adressant des reproches variés sur la marche de mon service – les contes que je publie dans *le Compagnon du Foyer* ne font pas la part assez belle à l'amour, paraît-il...

– C'est sa marotte actuelle, dit Lester.

– Le patron a trouvé moyen d'inspecter tous les recoins de la pièce. Je soupçonne qu'il cherchait une bouteille de whisky; il n'en a pas trouvé mais je suis certain qu'il a vu le modèle d'avion. Pour finir, il m'a toisé d'un air supérieur, et m'a déclaré qu'il m'attendrait dans son bureau à 3 heures. Vous y êtes?

– Il vous croit...

– Parfaitement.

Haviland se redressa.

– Au fond, je m'en moque, mais je serai curieux de connaître le chef d'accusation : il va sans doute m'accuser, sous une forme dramatique, de voies de fait envers une mécanique. J'ai cru utile de vous prévenir.

– Une réunion générale s'impose, dit Lester très sérieusement. Déjeunons tous ensemble. Voulez-vous être des nôtres, Dr Glass?

– Si je peux vous être utile...

– Entendu. Rendez-vous ici à 13 heures. Il est à peine midi 10 et il est inutile pour l'instant de paraître conspirer. Voulez-vous visiter la maison, docteur?

– Non, merci, répondit Glass. Je vais sortir, je réfléchis mieux en marchant. Comptez sur moi à 13 heures.

Il réussit à charger ses mots de mystère, de ce mystère dont Hornbeam n'usait pas assez, à son avis. Puis il salua Patricia et partit dignement.

Car le cerveau de Horatio Glass bouillonnait.

Lorsqu'il se sentait ainsi surexcité, le docteur avait coutume de faire une promenade à pied, histoire de se rafraîchir les idées, et il ne prêtait jamais la moindre attention aux injures des chauffeurs de taxis et d'autobus qui le voyaient traverser les rues au mépris des signaux de circulation. Une de ses inspirations les plus fécondes – la manière précise dont Jonas Melbourne avait été étranglé – lui était venue dans le métro au moment même où il allait tomber sur la voie alors qu'il croyait mettre le pied dans un compartiment.

Tout en descendant l'escalier du temple, il songeait à la situation. Présentait-elle du danger? Le vol de la montre de voyage et du manuscrit précieux, l'avion mis en morceaux... Bah!

Attention!

Parvenu à mi-chemin du rez-de-chaussée, Glass s'arrêta net. Haviland avait usé d'une curieuse expression au sujet de l'avion détruit : celui-ci avait été « systématiquement » détruit. Voilà qui ne s'accordait pas avec une crise de rage chez le destructeur.

Mieux valait interroger Haviland.

Le docteur remonta les marches et parvint tout essoufflé au quatrième.

La grande salle d'attente était vide.

Pour la première fois Glass éprouva – il devait le raconter plus tard – un sentiment d'appréhension, d'ailleurs irraisonné, car le vide de la pièce pouvait s'expliquer facilement : les employés étaient retournés travailler dans leurs bureaux respectifs. Mais miss Wicks elle-même ne trônait plus au milieu de la salle et le modèle d'avion brisé, au lieu de se trouver dans la boîte en carton, gisait dans un coin comme si on l'avait projeté contre le mur.

Après un moment d'hésitation, Glass alla sonner

à la porte du bureau de Lester. Ne recevant pas de réponse il ouvrit; la pièce était vide, ainsi que celle attenante, où travaillait la secrétaire. Il revint à la salle d'attente et entendit de nouveau le bruit de l'ascenseur privé qui descendait : sir Ernest Tallant allait déjeuner. Glass l'aperçut dans la cabine, le feutre gris posé en bataille, l'air heureux.

– Hé là! s'écria Glass. Il n'y a donc personne ici?

Il éprouva une sensation de soulagement en voyant s'ouvrir la porte du bureau d'O'Reilly. Celui-ci parut, tenant à la main ses inévitables placards.

– Ah! quelle chance! J'ai précisément un renseignement à vous demander. Il s'agit...

– Un instant. Où sont donc vos collègues?

– Oh! par là, répondit O'Reilly vaguement. Voici, il s'agit naturellement d'armes à feu...

– Qui a jeté cet avion dans le coin? Le savez-vous?

– Non. (Il écoutait à peine et compulsait fiévreusement ses placards :) C'est au sujet des détonations produites par les revolvers. Dans ce bouquin, les armes produisent les bruits les plus étonnants, ils parlent, ils aboient, ils grondent, ils crachent... L'auteur va même jusqu'à leur attribuer un bruit de tonnerre. Mais ils ne font jamais feu, tout simplement, en produisant une honnête détonation. A quoi donc ressemble le bruit produit par un revolver, docteur?

George O'Reilly leva les yeux.

De l'ascenseur vint un bruit sourd qui les fit sursauter. Le Dr Glass se retourna lentement.

– Il ressemble étrangement à ce que nous venons d'entendre, déclara-t-il alors.

IV

L'instinct professionnel est, de tous, le plus profondément enraciné, dit-on. Avant même de s'avouer qu'il venait d'entendre la détonation d'un calibre 45, Glass tira machinalement sa montre : il était 12 h 15. Puis il se précipita sur la porte de bronze et en secoua furieusement la poignée qui résista.

– Mon Dieu! C'était un coup de revolver! s'écria-t-il.

Plus tard, Glass devait se rappeler un fait important : l'ascenseur continuait à descendre et il entendit le glissement ininterrompu des câbles jusqu'à ce que la cabine eût atteint le rez-de-chaussée.

– Un coup de revolver? fit O'Reilly qui semblait sortir d'un rêve. C'est absurde! Personne ne tire ici.

Glass jeta un regard cxaspéré aux placards que l'autre tenait toujours en main et, renonçant à lui donner des explications, s'enquit :

– Comment ouvre-t-on cette porte?

– Quelle porte?

– Celle de l'ascenseur, nom d'un chien!

– Elle s'ouvre quand la cabine s'arrête à cet étage. Mais lorsque l'ascenseur est en marche, aucune porte ne fonctionne. Vous ne supposez pas...

Glass s'était déjà élancé de la pièce et dédaignant les ascenseurs du corridor, trop lents pour son humeur, dégringola l'escalier et traversa le hall en courant dans la direction de l'ascenseur privé. Cependant, avant d'arriver au but, il ralentit le pas. Une silhouette se précisait nettement sur la muraille de marbre, dans la froide lumière qui tombait des frises : le portier en livrée, le dos tourné, maintenait à demi ouverte la porte de l'ascenseur; un rayon lumineux venant de la cabine éclairée jouait sur les ors de son uniforme. Ses épaules courbées étaient éloquentes; en entendant les pas de Glass, il se retourna, montrant un visage bouleversé.

– Reculez ! s'écria-t-il. Il nous faut un médecin.

– Je suis médecin.

– N'approchez pas ! fit-il en barrant le chemin de son bras resté libre.

Haute de deux mètres soixante et large de deux environ, la cabine était construite en acier et revêtue d'une peinture qui imitait le bronze; dans le coin droit arrière, et très exactement emboîté dans l'angle, sir Ernest Tallant était assis comme un garçonnet bien sage, les jambes étendues, le buste un peu penché en avant, le bord de son chapeau gris rabattu sur les yeux; des taches de sang s'élargissaient sur le côté gauche de son veston; un mince filet de sang coulait sur l'élégant complet gris et venait s'étaler sur le tapis de caoutchouc, frôlant les fragments de verre éparpillés au fond de la cabine; le parapluie couché à côté de lui achevait de donner un aspect bizarrement enfantin à sa posture, et les quatre petites ampoules électriques réparties dans chacun des angles du plafond accusaient les rides de ses mains et faisaient briller les éclats de verre.

Le docteur saisit le bras du portier et lui mit sa carte sous les yeux.

– Regardez ! Mais regardez donc ! dit-il.

L'homme s'effaça.

– Il n'est pas mort, j'espère ? dit-il.

– C'est précisément ce que je veux savoir. Mais

on vient, vous entendez ? Surtout ne laissez approcher personne.

Glass se glissa à l'intérieur de la cabine dont la porte se referma lentement derrière lui. Il entendit le déclic et se pencha sur le corps en prenant soin de ne rien déranger.

Sir Ernest Tallant était mort. Le trou dans sa poitrine près du sommet de l'épaule gauche semblait indiquer qu'une balle, tirée verticalement de haut en bas, avait pénétré jusqu'au cœur. Des éclats de verre brillaient sur le vêtement du mort et le sol en était jonché... du verre sale, poussiéreux et gras. Le docteur leva les yeux et comprit. Le toit de la cabine qui comportait un épais panneau vitré, d'une surface de cinquante centimètres carrés environ, avait été fracassé comme si une grosse pierre était tombée dessus. Les bords de la cassure étaient déchiquetés. A travers l'ouverture, le regard du médecin se perdit, au-delà des câbles d'acier, dans les perspectives graisseuses de la haute cage d'ascenseur.

Aucune brûlure de poudre n'avait roussi le tissu du veston à l'entour de la blessure. Le Dr Glass imagina le plaisantin du temple muni d'un lourd revolver, guettant le passage de la cabine, à la descente, et tirant à travers le ciel vitré pour achever par un crime la série de ses pitreries.

– Mais ceci, grommela le médecin, n'est pas une plaisanterie !

Il prit son mouchoir pour manœuvrer la poignée de la porte, passa dans le hall et laissa la cabine se refermer derrière lui. Le portier, toujours à son poste, maintenait à bonne distance la foule des curieux qui commençait à se rassembler.

– Téléphonez au poste de police de Vine Street, dit Glass, et demandez l'inspecteur divisionnaire Burt. Vous lui direz que je suis sur place et que je me charge de la surveillance jusqu'à l'arrivée de ses hommes. Sir Esnest est mort et le crime est évident. Dépêchez-vous, je reste ici et ferai bonne garde.

Les dix minutes suivantes furent pénibles pour Glass qui dut jouer les gendarmes pour empêcher les curieux d'approcher, mais comme il ne connaissait personne, son rôle fut relativement facile jusqu'à l'arrivée de Patricia Tallant. Le portier, heureusement, revint au même instant et Glass put lui céder sa place. Il attira la jeune fille à l'écart. A sa grande surprise et bien qu'elle ne pût manifestement rien savoir de ce qui s'était passé, il s'aperçut qu'elle tremblait et que son regard avait une étrange fixité :

– Il s'agit de mon oncle, n'est-ce pas?

– Oui. Où pouvons-nous parler tranquillement?

Elle le conduisit dans un petit salon où de profonds fauteuils de cuir et un éclairage discret créaient une atmosphère paisible, bien différente de celle qui régnait actuellement dans le temple. La jeune fille n'avait pas quitté le médecin du regard.

– Il est mort, miss Tallant. Il a été tué d'une balle de revolver.

Le Dr Glass, qui jugeait la jeune fille peu émotive et parfaitement maîtresse de ses nerfs, ne s'attendait guère à la voir fondre en larmes à l'annonce de cette nouvelle. Patricia pleurait sans bruit, mais ce désespoir silencieux était émouvant.

– Vous aimiez beaucoup votre oncle, miss Tallant?

Elle releva la tête et le regarda d'un air égaré.

– Comment? Mais non, pas beaucoup. Oh! je ne sais pas...

– Alors, pourquoi?

– Je ne sais pas. Je suis dans un état épouvantable. Oh! n'essayez pas de m'interroger, je vous en supplie. Vous avez bien dit que mon oncle a été touché par une balle de revolver? Qu'il a été assassiné?

– On ne peut encore rien affirmer, mais il n'y avait pas d'arme dans la cabine.

– Ils vont accuser Bill! s'écria la jeune fille. Ils vont accuser Bill d'avoir...

– Miss Tallant, rien ne vous autorise à parler ainsi; nous ne savons pas ce qui s'est passé.

– Oh! N'essayez pas de me leurrer; vous savez parfaitement qu'on va accuser Bill d'avoir fait le coup. On dira...

– Que dira-t-on?

Glass aurait voulu la pousser à parler car elle venait manifestement de concevoir une idée bizarre qui ajoutait à sa perplexité et à son inquiétude.

– Dites-moi, docteur... Mon oncle a-t-il été tué *dans* l'ascenseur?

– Oui.

– Mais c'est impossible. Il n'y avait personne avec lui... Je... je l'ai vu descendre...

« Moi aussi », pensa Glass.

– J'étais dans mon bureau, à l'étage en dessous de celui occupé par Bill et O'Reilly, où passe précisément la cage d'ascenseur, et je me trouvais si près de la porte, lorsque la cabine est descendue que j'ai pu voir l'intérieur à travers le petit panneau vitré. Mon oncle était debout dans le coin et ne m'a même pas regardée. Or, il était seul.

Excellent renseignement, se dit Glass, et qui venait confirmer sa propre impression. Son émotion était telle qu'il ne put s'empêcher de parler bien que le silence eût été de rigueur dans un cas de ce genre.

– Cela n'a rien d'étonnant, miss Tallant, car le

ciel vitré de la cabine a été fracassé. La balle – si balle il y a – a été tirée de haut en bas. Je suis navré d'insister sur ces détails, mais je me figure que le meurtrier devait se tenir soit sur le toit de la cabine, soit à l'une des portes, où il guettait son passage, et qu'il a tiré de haut en bas à travers le plafond vitré.

– Mais il n'y avait personne sur le toit, docteur! J'ai vu passer la cabine aussi près de moi que je le suis de vous en ce moment et je peux affirmer qu'il n'y avait personne.

« J'ai la même certitude », songea Glass en fermant les yeux pour mieux se remémorer la scène. Il se rappela la descente ininterrompue, le bruissement régulier des câbles qui n'avait cessé qu'à l'arrivée au rez-de-chaussée, ainsi que le passage de la cabine dans sa ligne de vision.

– Il ne nous reste donc qu'à supposer le meurtrier posté à l'une des portes...

La conversation fut interrompue par l'arrivée du sergent Smith et de deux agents envoyés par le poste de police de Vine Street. Glass fut appelé dans le hall où le sergent, après avoir écouté son récit, lui dit :

– L'inspecteur Burt ne viendra pas, docteur. Il a passé l'affaire à Scotland Yard qui doit envoyer l'inspecteur en chef Hornbeam. Rien ne doit être dérangé avant sa venue.

– Que faut-il faire?

– Veiller à ce que personne ne quitte l'immeuble. Je vais poster un de mes hommes à la porte. Vous pourriez dire quelques mots pour que chacun retourne à ses occupations habituelles. Veuillez écouter! cria-t-il, pour imposer silence aux curieux rassemblés... Allez-y maintenant, docteur.

Glass, qui désirait ne pas quitter de vue la pièce où se trouvait Patricia Tallant – il se sentait dans une certaine mesure responsable de la jeune fille –, s'éloigna de quelques pas et faillit être renversé par Lester qui arrivait en glissant comme un potache sur le sol de marbre.

Le jeune homme s'arrêta court et jura entre ses dents :

– Si ce qu'on m'a dit est vrai, c'est épouvantable... Oui, n'est-ce pas? J'en étais sûr. Où est Pat?

– Dans ce salon; allez la voir, mais ne quittez pas la pièce après votre conversation.

– Docteur, dit Lester en saisissant le bras du médecin, on dit qu'il a été tué d'une balle de revolver. Angus Mac Andrew affirme qu'il a entendu le coup suivi d'un bruit de verre brisé; d'autres prétendent qu'il est mort d'une rupture d'anévrisme. Répondez-moi... Il a été tué, n'est-ce pas? Eh bien, je vous parie que c'est avec mon revolver.

Glass le regarda dans les yeux.

– C'est une éventualité à envisager, dit-il. Avez-vous entendu quelque chose? Où étiez-vous?

– Moi? dit Lester. (Il montra son poignet gauche entouré de deux mouchoirs humides.) J'étais dans les lavabos où je baignais cette main qui s'est mise à enfler. Je n'ai rien entendu. Rien, en tout cas, qui puisse concerner ce meurtre.

Son attitude était si hésitante que Glass lui lança un regard pénétrant.

– Bill, pour l'amour du ciel, dites-moi la vérité. Etes-vous prêt à toute éventualité? Vous comprenez ce que je veux dire...

– Oui.

– Que s'est-il passé à votre étage après mon départ? Arrivé à mi-chemin de l'escalier je me suis rappelé une question à vous poser. Mais, en revenant sur mes pas, je n'ai plus trouvé que O'Reilly et j'ai aperçu le modèle d'avion à terre : on aurait dit que quelqu'un l'avait lancé à travers la pièce. Qu'est-il arrivé ?

Lester eut l'air penaud.

– Rien de grave. Pat, Grey, Haviland et moi discutions au sujet de ce modèle lorsque, dans le feu de la conversation, j'ai oublié de cacher ma main dans ma poche. Pat a aperçu mon enflure et m'a demandé des explications; j'ai menti pour ne pas l'inquiéter, mais elle a deviné la vérité et, dans sa colère, elle a saisi l'avion et l'a lancé à terre en un geste de fureur contre son oncle. Cela ne signifiait rien... vous connaissez les femmes! Pat m'a conseillé ensuite de mettre des compresses froides sur mon poignet, mais, comme il n'était pas convenable qu'elle m'accompagne aux lavabos des messieurs, je m'y suis rendu seul et Pat est retournée dans son bureau. Je ne sais ce que sont devenus Grey et Angèle Wicks. A votre tour maintenant de me raconter ce que vous savez.

– Suivez-moi, dit Glass.

Il le fit entrer au petit salon où Patricia, les yeux secs, paraissait calmée bien qu'un éclat anormal illuminât son visage. Elle se précipita vers Lester et se jeta dans ses bras.

– Je vous en prie, ne dites rien, fit-elle. Ne voyez-vous pas que cela vaut mieux ?

– Vous avez raison.

– Bill, comment va votre main ?

– Ma... Bonté divine! comment pouvez-vous vous inquiéter de ce bobo en ce moment ? Je voudrais la voir au diable, cette main, je regrette d'en avoir parlé. Elle prend des proportions invraisemblables et cause des soucis tout à fait inutiles. C'est ridicule et je n'ai jamais eu l'intention de vous faire supposer ce que vous avez imaginé, jamais, je le jure.

Il remit sa main dans sa poche pour la dérober à une affectueuse investigation.

– C'est parce que tout va mal, dit la jeune fille. Mais, reprit-elle en hochant la tête, laissons cela pour l'instant. J'ai réfléchi à la mort de mon oncle, docteur. Certes, je peux me tromper, mais il me semble que nous commettons une erreur grossière, ou alors qu'il s'est produit quelque chose de diabolique.

– De diabolique ?

– D'impossible, si vous préférez. Vous savez comment les choses se sont passées, Bill ?

– Non, j'attends justement des explications.

Elle lui donna tous les détails en appuyant sur les plus importants, encouragée par Glass qui, en tant que médecin, était heureux de la voir occupée par des questions qui empêcheraient son esprit de s'égarer.

– Le docteur prétend que le coup a dû être tiré par un individu qui guettait le passage de la cabine à l'une des portes. Personne ne pouvait se trouver dans la cage d'ascenseur et j'ai vu passer la cabine d'assez près – le docteur aussi – pour être certaine que le meurtrier ne se tenait pas sur le toit. Mais c'est en cela précisément que réside la difficulté, vous comprenez : *l'ascenseur ne s'est arrêté nulle part.*

Lester fronça le sourcil d'un air interrogateur, mais Glass se souvint des paroles de George Patrick O'Reilly, paroles auxquelles il n'avait pas attaché grande importance sur le moment.

– Vous êtes bien d'accord sur ce point : l'ascenseur ne s'est pas arrêté en route ? demanda la jeune fille.

– J'en jurerais, répondit Glass. Mais... attendez donc : est-il vrai qu'on ne peut ouvrir les portes ni de l'intérieur ni de l'extérieur à moins que la cabine ne s'arrête à l'étage déterminé?

– Parfaitement, il faut même que l'arrêt soit complet, déclara Patricia. C'est un contact électrique qui commande la manœuvre, et il est matériellement impossible d'ouvrir la porte autrement. Par conséquent, l'ascenseur ne s'étant pas arrêté au cours de la descente, personne n'a pu se pencher sur la cabine pour tirer sur mon oncle à travers le plafond vitré.

Lester poussa une exclamation.

– Pat, vous êtes sûre de ce que vous avancez?

– Certaine. Ces portes sont impossibles à ouvrir pendant la marche. Et cela signifie, ajouta-t-elle en haussant le ton, que le meurtre est impossible; mon oncle ne doit pas être mort!

Sa voix se perdit dans un éclat de rire nerveux auquel mit fin la brusque apparition du sergent Smith.

– L'inspecteur en chef est arrivé, docteur, dit-il en s'adressant à Glass.

V

– Pas si vite, dit Hornbeam. Prenez votre temps, fiston, prenez votre temps!

Il se tenait contre la porte de l'ascenseur, poings sur les hanches, et considérait l'intérieur de la cabine. Les paroles énoncées revenaient avec une telle fréquence au cours de ses discussions avec Glass qu'il les prononçait machinalement. L'inspecteur était un homme de haute taille, assez corpulent, aux épaules quelque peu voûtées. Son visage aux maxillaires puissants s'éclairait de deux yeux moqueurs. Sa moustache grisonnait. Ses mains étaient énormes. Toujours coiffé d'un chapeau melon posé en arrière, il portait un imperméable par tous les temps. On ne pouvait rêver êtres plus différents que Glass et lui, tant au physique qu'au moral. Tout leur était matière à discussion, voire à disputes.

L'inspecteur avait un bagage de connaissances pratiques recueillies au cours de sa carrière. On le savait toujours prêt à mettre la main à la pâte, et si un tuyau éclatait à New Scotland Yard, Dave Hornbeam était aussi capable de le réparer que n'importe quel plombier. Il savait tapisser une chambre, faire frire une saucisse, ou réparer un appareil de radio et cherchait toujours à se rendre utile.

Un tel homme devait nécessairement s'intéresser davantage aux événements qu'aux individus, aussi le sujet le plus fréquent de ses palabres avec Glass concernait-il la psychologie. La lecture de certains traités prêtés par le docteur avait convaincu Hornbeam que les psychiatres sont souvent plus fous que les malades confiés à leurs soins et il défendait sa thèse avec ardeur. Très aimé dans le corps de police pour sa franchise, il détestait s'avancer sur le terrain mouvant de la psychologie lorsqu'on lui confiait une enquête. Il n'abordait jamais un problème en fonction du mobile et n'avait que faire des âmes tourmentées. L'occasion, en revanche, l'intéressait avant tout, peu lui importait que celui qui l'avait eue à sa portée fût un repris de justice ou un pair du royaume. Découvrir d'abord l'individu qui s'était trouvé dans des circonstances favorables pour commettre le crime et s'inquiéter du mobile après l'arrestation, telle était sa méthode. Mais cette façon de comprendre son métier suscitait cependant moins de conflits entre Glass et lui que son extraordinaire circonspection et ses habitudes méthodiques.

– Si ce gaillard-là aperçoit un bout d'allumette brûlée sur le sol, avait déclaré Glass, il ne se contentera pas d'en conclure que quelqu'un l'a allumée, il mesurera le bout à demi carbonisé, le rattachera à telle marque de fabrique. Il se procurera une boîte semblable, puis il se livrera à une série d'expériences pour savoir combien de temps l'allumette mettra à brûler avant d'atteindre la longueur du bout initial. Cette minutie est remarquable, mais supposez que cette maudite allumette n'ait rien à voir dans l'affaire, quelle perte de temps !

– Evidemment, mais supposez le contraire..., répliquait Hornbeam sans se fâcher.

C'était une polémique du même ordre qui opposait les deux hommes en ce moment près de l'ascenseur où le cadavre de sir Ernest Tallant se trouvait toujours dans la même position. La porte de la cabine, maintenue par un morceau de bois, restait ouverte, le photographe venait de prendre les derniers clichés et, à part les policiers affairés à leur tâche, l'immense hall était désert.

Hornbeam considérait la scène de l'air d'un ouvrier qui cherche quoi réparer dans la maison.

– Je me tue à vous dire, répéta le docteur, que nous nous trouvons ici face à une situation qui me paraît absolument...

– Voyons, voyons ! Pas si vite, prenez votre temps, Horry.

Glass eut un haut-le-corps. Il détestait s'entendre appeler « Horry » car ce diminutif lui rappelait Horace Walpole, sa bête noire.

– Si vous consentiez à me laisser achever ce que j'essaye de vous faire entendre, vous comprendriez. En outre, je vous ai déjà répété cent fois de ne pas m'appeler Horry... Voici Tallant, tué d'une balle en plein cœur.

– Comment savez-vous qu'il a été tué de cette façon ?

– Je n'ai pas encore le projectile, mais...

– Il faut l'extraire au plus vite, reprit Hornbeam d'un ton grave. Nous ne pouvons nous faire une opinion avant de savoir ce qui l'a tué.

– Laissez votre imagination déployer ses ailes, soupira Glass, et accordez-moi un instant le bénéfice d'une hypothèse invraisemblable, en acceptant, pour l'amour de la discussion, l'ahurissante, l'affolante possibilité que cet homme ait été vraiment tué par un coup de feu. Pouvez-vous faire cet effort ?

– Heu ! fit Hornbeam qui considérait l'intérieur de la cabine.

– Alors dites-moi de quel endroit on a tiré. C'est une question précise que je vous pose.

Hornbeam repoussa son melon encore plus en arrière, tira un épais calepin noir de sa poche et inscrivit quelques notes, puis il s'avança dans la cabine et examina méticuleusement le cadavre tout en prenant de nouvelles notes; après quoi il inspecta le sol et ramassa plusieurs éclats de verre dans sa main gantée.

Un calme impressionnant, à peine troublé par des échos lointains, régnait dans le temple; les quatre petites ampoules de la cabine projetaient leur lumière sur la lourde silhouette de l'inspecteur. Celui-ci leva la tête et ferma à demi les yeux pour regarder le plafond.

– Voyez-vous des traces de poudre ? demanda-t-il en indiquant le veston du mort.

– Aucune.

– Pour plus de sûreté, vous ferez bien d'examiner le tissu à la loupe.

Hornbeam poussa une sorte de grognement et ramassa un fragment de verre qu'il examina avec soin et flaira avant de le tendre au médecin.

– Que pensez-vous de ceci?

Sali par sa longue exposition dans la cage d'ascenseur, le morceau de verre offrait d'autres particularités : l'un de ses bords déchiquetés était noirci comme par la flamme d'une bougie et l'on pouvait même distinguer à l'œil nu quelques points minuscules d'une substance compacte.

– Aucun doute, fit le médecin, ce verre a été noirci par la déflagration et ces petits points noirs sont des parcelles de charge non brûlée. Vous êtes bien de mon avis?

– J'ai la même impression que vous.

– Et cela signifie que l'arme était tout près du châssis de verre lorsque le coup a été tiré. D'accord? Hé! Dave... réveillez-vous!

Penché au-dessus du cadavre, Hornbeam examinait le coin de la cabine; sur la peinture « faux bronze », deux larges taches sombres situées à environ un mètre cinquante du sol retinrent son attention.

– Pardon, fit-il en se retournant, vous m'avez demandé quelque chose?

– Oui, je voulais savoir si ce morceau de verre ne vous indique pas d'où le coup a été tiré?

– Vous voulez parler du toit de la cabine?

– Non, fit Glass avec hésitation, ce n'est pas possible car ce toit était lisse comme la main lorsque miss Tallant et moi l'avons vu descendre. Mais la personne qui a réussi à se poster à moins de vingt centimètres du toit entre le moment où nous avons vu passer la cabine et celui où elle a atteint le rez-de-chaussée...

– Donc le coup a pu être tiré du toit?

– Je l'ignore.

– Il faut s'en assurer.

Hornbeam se fit aimable et persuasif.

– Vous allez me faire le plaisir d'extraire au plus vite le projectile qui a tué cet homme. Je vais faire transporter le cadavre au dépôt mortuaire. Ne pratiquez pas l'autopsie, il s'agit simplement de retirer la balle; venez aussitôt après me retrouver ici et nous débattrons.

– Qu'allez-vous faire en attendant?

L'autre reprit son air de bon ouvrier en quête de travail.

– Une conversation avec le personnel dirigeant s'impose. Je vais prendre le rôle que vous aimez tant jouer et voir un peu quel état d'esprit règne ici.

– Je vous souhaite du plaisir! fit Glass. Ce sera une expérience psychologique particulièrement intéressante et je me réjouis d'observer vos réactions lorsque vous serez exposé à l'influence de cette... cette...

– Que se passe-t-il donc d'extraordinaire ici? demanda Hornbeam visiblement impressionné. Cette maison me paraît très agréable, un vrai palais.

– Agréable! Bonté divine! On voit bien que vous ne savez pas ce qui s'y passe! Elle est le domaine des inhibitions...

Hornbeam eut un geste de colère.

– Ecoutez-moi bien, fit-il, et si vous voulez que je vous pardonne, laissez-moi mettre les choses au point. J'entends, cette fois, ne supporter aucune de vos habituelles simagrées. Gardez pour vous vos inhibitions, vos complexes, votre subconscient freudien. Vous savez où cela vous mène? A cinq reprises, l'an dernier, vous avez failli me fourrer dans le plus épouvantable pétrin avec vos ingénieuses explications des affaires criminelles dont on m'avait chargé. Mais si le Seigneur vous a doté d'un don de persuasion qui ferait honneur au plus dangereux escroc et si j'ai été assez bête pour vous écouter pendant plus de quinze années, je vous garantis que vous n'allez pas continuer à me bourrer le crâne. L'affaire Connigsby m'a servi de leçon; je savais le valet de chambre coupable dès le premier instant, et tout le monde avait la même impression, mais cette solution était beaucoup trop simple pour vous. Il a fallu que vous me démontriez la culpabilité de la comtesse de Daimler; et les abominations que vous avez pu rechercher dans son passé !...

Glass parut gêné.

– Je n'ai rien dit de son passé, j'ai simplement fait remarquer que les influences subies dans sa petite enfance révélaient une certaine tendance à la nymphomanie...

– C'est bien cela, et vous ne m'avez même pas expliqué la signification de ce maudit mot ! J'ai pensé qu'il s'agissait d'une sorte de propension au vol et j'ai dit à son mari qu'il pouvait être dangereux de la laisser circuler seule dans un grand magasin. Il a failli me faire saquer à la suite de cette déclaration et je ne saurais lui en vouloir. Mais je vous avertis pour la dernière fois, vous m'avez bien compris ?

Glass, qui avait entendu maintes fois ce genre de récrimination, ne s'indigna pas comme à l'ordinaire car il commençait précisément à entrevoir l'explication du crime.

Hornbeam s'adressa ensuite au sergent.

– Allez donc chercher le portier qui a découvert le cadavre... un nommé Hastings, si je me souviens bien ?

L'homme, qui avait entendu son nom, s'avança aussitôt.

– Vous désirez, monsieur ?

– Je voudrais savoir qui assume maintenant la direction de la maison.

Hastings hésita; la pensée qu'un autre pouvait prendre la place de sir Ernest lui faisait l'effet d'une véritable révolution. Glass eut à nouveau l'impression d'un vide immense dans l'énorme bâtisse.

– C'est difficile à savoir, répondit enfin le portier. Il y a bien miss Patricia, la nièce de sir Ernest. Mais je suppose que vous devriez voir Mr Stephen Corinth, le directeur de la production.

– Est-il ici en ce moment ?

– Oui, son bureau est à deux pas, au rez-de-chaussée. Dois-je vous y conduire ?

– Un instant; je voudrais auparavant revoir avec vous certains détails de votre déposition.

L'inspecteur tira son carnet.

– Voici : à 12 h 15 précises, vous vous trouviez à proximité de cette porte. Cette heure est exacte, car vous veniez de jeter un coup d'œil à l'horloge placée au-dessus du bureau de la réception...

Méthodique, comme toujours, Hornbeam consulta du regard l'horloge en question; Hastings fit un signe d'approbation.

– Vous attendiez l'arrivée de la cabine d'ascenseur pour ouvrir la porte et vous étiez prévenu de cette arrivée par le bruit des câbles en marche. Vous pensiez voir arriver sir Ernest Tallant, car personne en dehors de lui ne se sert de cet ascenseur...

Hastings fit mine d'ouvrir la bouche, mais il se contint.

– C'est à ce moment que vous avez entendu un bruit qui ressemblait à un « coup de revolver suivi d'un craquement ». (Hornbeam releva la tête.)

Pouvez-vous expliquer plus clairement votre impression ?

Un temps.

– Je ne sais ce que vous entendez par « plus clairement », monsieur. J'ai entendu comme un gros coup, puis un vacarme de vitres brisées comme si une grande fenêtre volait en éclats, suivi d'une sorte de bruit sourd. J'ai pensé que l'ascenseur était détraqué.

– Le premier bruit était-il violent ?

– Assez violent et j'ai eu l'impression qu'il s'était produit tout près de mon oreille.

– A quelle distance la cabine se trouvait-elle dans la cage d'ascenseur lorsque vous avez entendu ce bruit ?

Hastings hésita.

– C'est difficile à dire...

– Réfléchissez, dit Hornbeam, encourageant. La cabine était-elle en vue ?

– Oh ! non, monsieur.

– Vous n'avez pas quitté la porte du regard après le bruit ?

– Certainement pas, je croyais l'ascenseur détraqué et je craignais de voir tomber la cabine.

– Essayez de vous rappeler combien de temps s'est écoulé entre le coup de feu et l'apparition du bord inférieur de la cabine devant le panneau vitré de la porte. Ne cherchez pas à évaluer les secondes, comptez seulement à haute voix en essayant de rappeler vos souvenirs.

Le portier regarda la porte et des rides profondes creusèrent son front; il se mit à compter assez lentement et s'arrêta au chiffre quinze.

– C'est à peu près cela, monsieur.

– Maintenant essayez de la même façon d'évaluer le laps de temps écoulé entre l'apparition du bord inférieur dans le panneau vitré et son arrêt définitif.

– Un, deux, trois, quatre, cinq.

Hornbeam, toujours impassible, prit une note sur son carnet.

– Bon. Vous avez alors ouvert la porte et aperçu le défunt dans la position où nous l'avons trouvé. Il n'y avait personne d'autre dans l'ascenseur. C'est bien cela?... Je vous remercie et n'ai rien de plus à vous demander pour l'instant. Je vais aller voir Mr Corinth. Alors, les enfants, au travail maintenant, fit-il en s'adressant aux policiers qui attendaient ses ordres. Sortez le cadavre et prenez grand soin de récolter ce verre brisé; je veux que chaque fragment un peu important soit placé dans une enveloppe distincte. Les empreintes, comme d'habitude. Appelez-moi lorsque tout sera en ordre, je veux faire une dernière inspection.

Il traversa le hall de son pas allongé et un peu hésitant; Glass trottait à côté de lui.

– Pas mal, fit le docteur.

– Qu'est-ce qui n'est « pas mal »?

– Le système Hornbeam. Oh! impossible de me berner; vous avez trouvé le nombre de secondes qui, d'après Hastings, se sont écoulées entre le coup de feu et l'arrêt de l'ascenseur; vérifié la justesse d'estimation de Hastings en lui faisant compter l'espace de temps entre l'apparition de la cabine et l'arrêt définitif, ce qui peut être facilement contrôlé. Vous avez alors compté en sens inverse et évalué à quelle distance du sol se trouvait la cabine lorsque le coup de feu a été tiré. Est-ce bien là le petit jeu auquel vous venez de vous livrer?

L'inspecteur sourit.

– Peut-être. Mais, pour l'amour du ciel, quand

allez-vous vous décider à extraire le projectile? Combien de fois devrai-je vous le répéter?

Hornbeam avait repris son air le plus officiel lorsqu'une secrétaire encore pâle d'émotion l'introduisit dans le bureau du directeur de la production. Stephen Corinth occupait pour son service une suite de pièces spacieuses situées sur la face nord de l'immeuble. Les fenêtres de son bureau, discrètement voilées de stores blancs, donnaient sur St Martin's Lane; les stores baissés indiquaient que la maison était fermée au public.

La secrétaire avait surpris Corinth qui mangeait un sandwich, assis devant son bureau. Le mot « surpris » est en réalité assez impropre, car on sentait qu'il devait être assez difficile d'émouvoir Corinth. C'était un gros homme chauve, aux mouvements lents, aux traits fins, dont les yeux bleus restaient toujours impénétrables; il pesait chacun de ses mots avant de parler et il émanait de toute sa personne, une impression de grande compétence. Jamais il ne se hâtait, mais lorsqu'il avait besoin de téléphoner, il empoignait le récepteur plutôt qu'il ne le prenait. L'arrivée de Hornbeam le choqua manifestement comme une apparition indécente dans le temple sacro-saint, mais il n'en mordit pas moins dans son sandwich, sans aucun souci des convenances, avant de le passer dans sa main gauche pour pouvoir serrer la main de son visiteur.

Hornbeam se montra plein de son importance.

– Je vous retiendrai le moins longtemps possible, monsieur, conclut-il, mais vous savez ce qui s'est passé...

– Oui, c'est une grande perte, une perte irréparable, fit Corinth en hochant la tête.

Il resta un instant immobile et releva sur l'inspecteur son regard si volontairement impénétrable.

– Répondez-moi franchement, Mr Hornbeam. Peut-on espérer qu'il s'agisse d'un accident? Vous me comprenez...

– Je crois qu'il faut abandonner cet espoir, monsieur.

– Mr Hornbeam, je ne comprends pas, je ne comprends pas du tout... Le bâtiment se serait écroulé que je n'aurais pas une impression différente. Je n'ignore pas les questions que vous allez me poser sur les antécédents de sir Ernest Tallant, sur sa situation financière, ses amis... et ses ennemis. Vous désirez probablement savoir qui avait intérêt à se débarrasser de lui?

– Et que répondriez-vous?

– Que je ne pourrais nommer personne, fit Corinth en appuyant son assertion d'un geste éloquent. Et je vous réponds après mûre réflexion.

– Il n'avait aucun ennemi?

– Dans le monde des affaires? Non, aucun ennemi dans le sens que vous attribuez à ce mot.

– Et ici, dans cette maison?

– Dans les bureaux? C'est une hypothèse absurde, Mr Hornbeam, absurde, entendez-vous? Je puis vous dire en confidence que si les affaires continuent à être aussi prospères, chaque employé des éditions Tallant recevra cinq pour cent de ses appointements à titre de gratification en fin d'année. Sir Ernest se faisait une joie de réaliser ce projet... vous voyez qu'il n'était pas de ces patrons égoïstes et durs. Nous sommes un groupe de travailleurs unis, vous ne pourriez désirer plus de cohésion, plus de dévouement dans une maison où tout le monde œuvre pour le bien général. N'allez pas croire que j'exagère, vous ne connaissez pas le sentiment d'attachement, de fidélité compréhensive que chaque membre du personnel des éditions Tallant ressentait pour son chef. Avouez qu'il n'y a rien à répondre...

– Si, monsieur. Sir Ernest est mort.

Corinth eut un léger haut-le-corps, comme s'il avait senti un manque de sympathie de l'autre côté du bureau.

– Eh bien, fit-il avec une brusquerie soudaine en reprenant son sandwich, que désirez-vous savoir?

– Sir Ernest a-t-il de la famille?

– Il est célibataire et, à ma connaissance, sa seule parente en vie est miss Patricia Tallant.

– Est-elle son héritière?

– Oui, et, à part un certain nombre de legs importants, son unique héritière.

– La maison d'édition doit-elle lui revenir?

Corinth mordit à belles dents dans son sandwich et posa sur l'inspecteur un regard pénétrant.

– Oui, et je crois avoir l'honneur d'être désigné par l'une des clauses de son testament comme administrateur délégué.

– Revenons à sir Ernest. Pouvez-vous me parler de sa vie privée, Mr Corinth?

– Cette maison représentait le but de son existence, c'était son monument, son œuvre, dit Corinth dans une explosion de sincérité. Il n'avait pas de vie privée. (Il gâta l'effet en ajoutant après réflexion :)... Du moins, je ne le crois pas, mais je n'ai jamais été son confident... en dehors des affaires, bien entendu. De nous tous, miss Lake est la personne qui le connaissait le mieux. Interrogez-la.

– Miss Lake?

– Sa secrétaire. Elle travaillait avec lui depuis plus longtemps qu'aucun d'entre nous, je crois même qu'elle est alliée à une branche de sa famille, sans lui être directement apparentée.

Hornbeam ne se départit pas de sa raideur voulue.

– Vous pourriez néanmoins me parler de ses amis intimes, de ses relations, dit-il.

– Je vous ai déjà dit qu'il n'en avait pas, fit Corinth avec humeur, en se carrant dans son fauteuil. Sir Ernest habitait Hampstead – je vous donnerai l'adresse si vous voulez –, il dînait à 8 heures, se couchait à 11 et arrivait ici à 9 heures le lendemain matin. C'est tout. Les seules personnes qu'il invitait parfois étaient des écrivains dont il voulait se concilier les bonnes grâces dans un but purement commercial. Il aurait bien préféré se passer d'eux, mais les éditeurs dépendent hélas! des auteurs, ajouta-t-il d'un air chagrin.

– Miss Tallant habite-t-elle avec lui?

– Non, elle a pris un appartement près d'ici sous prétexte d'être plus près de son bureau. Et sir Ernest a avalé cette couleuvre.

Un léger sourire échappa à Corinth, mais il s'avisa de l'inconvenance de son attitude et prit aussitôt un air exagérément solennel et gourmé.

Hornbeam n'avait pas sourcillé.

– Sir Ernest Tallant était l'esclave de son métier, si j'ai bien compris, dit-il, de sorte que, si nous cherchons un mobile... vous avez bien dit qu'il fallait le chercher ici?

– Pardon, je n'ai rien suggéré de semblable. La situation me déconcerte complètement, c'est tout ce que je peux dire. Evidemment, s'il s'agissait d'un suicide... mais c'est une éventualité qu'on ne peut envisager, je présume?

– Tout est possible, monsieur.

L'autre parut surpris.

– J'avais cru comprendre... bien entendu *je ne sais rien*, laissez-moi insister sur ce point : mais je me trouvais par hasard dans l'escalier principal vers midi et quart – je venais de voir Mr Mac Andrew, notre directeur commercial – lorsque j'ai cru entendre un bruit inhabituel, à peine perceptible, qui semblait venir du mur contre lequel je me trouvais et qui s'est tout de suite associé dans mon esprit avec la détonation d'une arme à feu. Mais comme j'étais très occupé, je n'ai pas pris le temps de m'informer et je n'ai appris la mort de sir Ernest qu'après l'arrivée de la police. Ma secrétaire est venue m'annoncer qu'il avait été tué d'un coup de feu dans l'ascenseur.

Hornbeam dressa l'oreille.

– Vous vous trouviez dans l'escalier au moment critique ? A quel endroit exactement ?

– Sur le palier entre le rez-de-chaussée et le premier étage. Au tournant de l'escalier, si mes souvenirs sont exacts, répondit Corinth de plus en plus surpris.

– La cage d'ascenseur passe-t-elle derrière le mur de ce palier ?

– Oui, mais je ne vois pas...

– Il y a probablement une porte d'ascenseur ?

– Pas sur le palier, naturellement, riposta le directeur de la production d'un ton aigre. Mais les murs sont peu épais en raison des nécessités de la ventilation, et c'est ainsi que j'ai pu entendre le bruit. Néanmoins, et nous touchons ici au point essentiel, Mr Hornbeam, on m'a dit – ne me demandez pas qui, j'ai oublié – qu'il n'y avait pas d'arme dans la cabine, et je sais qu'il ne s'agit pas d'un suicide. Sir Ernest était bien la dernière personne à vouloir attenter à sa propre vie. La *dernière* personne, Mr Hornbeam. J'ai cependant envisagé un instant cette possibilité, vous savez quelle influence terrible peut avoir l'hérédité... bien que le cas ne soit évidemment pas le même.

Hornbeam fronça le sourcil.

– Pardon, je ne comprends pas. Que vient faire ici l'hérédité ?

– Je n'aurais peut-être pas dû mentionner ce fait, dit l'autre en avalant la dernière bouchée de son sandwich. Ne vous a-t-on pas dit que le cousin germain de sir Ernest Tallant, lorsqu'il est mort, était atteint de folie homicide ?

1

EXTRAITS DU CARNET DE L'INSPECTEUR EN CHEF HORNBEAM

> Une affaire doit être considérée dès le début sans parti pris.
>
> Hans GROSS : *Enquête criminelle.*

Date : 11 mai 1938. *Heure :* 2 heures de l'après-midi. *Lieu :* Maison d'édition Tallant, Ltd., St. Martin's Lane. W.C.2.

Objet des recherches : Mort de sir E. Tallant.

Aucun doute sur l'heure de la mort. Plusieurs témoins la situent à 12 h 15, à quelques secondes près. Le défunt est mort dans un ascenseur privé pendant la descente de l'étage supérieur. Cause apparente de la mort : blessure à l'épaule gauche paraissant provenir d'une balle.

Examiné la position du corps, fait prendre des photographies qui montrent les détails essentiels.

Examiné l'ascenseur. Modèle automatique actionné par la pression de boutons, fabriqué par la British Elevator Co. Dimension approximative : hauteur deux mètres soixante, profondeur deux mètres, largeur deux mètres.

Entré dans la cabine à 12 h 47 et fait les observations suivantes :

Taches de sang sur les vêtements du mort et sur le sol de la cabine; aucune éclaboussure sur les murs.

Légère odeur de poudre. Absence de fumée.

Plancher de la cabine jonché de fragments de verre brisé provenant du châssis vitré du plafond; ceux-ci portent des traces de fumée et des points noirs formés probablement par de la poudre non brûlée (à faire analyser).

Traces de frottement sur la peinture dans l'angle arrière droit (en se plaçant le dos à la porte).

Cadavre découvert par Hastings, portier, immédiatement après le meurtre et examiné par le Dr Glass, médecin légiste, à 12 h 18. Hastings s'est trouvé seul quelques minutes après sa découverte. Le Dr Glass et lui déclarent tous deux n'avoir pas trouvé d'arme dans l'ascenseur.

Sir Ernest était seul dans la cabine lorsqu'il a été tué (témoignages distincts du Dr Glass et de Hastings). A faire confirmer. Position de la blessure écarte l'hypothèse d'un suicide.

DEUXIÈME PARTIE

DESCENTE D'UN DÉTECTIVE

VI

Sir Ernest Tallant avait été tué par une balle de revolver 45; les rayures du projectile ne laissaient aucun doute à ce sujet. Le Dr Glass se préparait à annoncer la nouvelle avec une pointe d'ironie à ce tâtillon de Hornbeam, qui consentirait peut-être maintenant à discuter les faits. Mais ce triomphe ne réjouissait guère le médecin qui pressentait déjà, bien qu'il eût préféré l'ignorer, à quel résultat inquiétant aboutirait son opération. Chez un client cette lutte subconsciente lui aurait fourni matière à d'abondants discours, dans son cas elle n'avait fait que le rendre soucieux.

Lorsqu'il revint, un policeman montait la garde à la porte du temple, dont tous les stores du rez-de-chaussée étaient baissés. Un autre policeman se tenait près du bureau de la réception. La porte de l'ascenseur était fermée et Glass, remarquant que la cabine n'était plus à son point d'arrêt, se demanda si l'inspecteur s'était livré en son absence à une série d'expériences pour déterminer la position de l'ascenseur au moment du coup de feu. Mais, au même instant, Hornbeam sortit du petit salon où le médecin avait interrogé Patricia Tallant; il avait l'air préoccupé.

– Eh bien? fit-il.

– Votre sanglante besogne est faite et vous pouvez maintenant adopter mon « invraisemblable » hypothèse. Le pauvre vieux a bel et bien été tué d'une balle de revolver : voici le projectile...

Glass tira de sa poche une enveloppe de cellophane.

– C'est une balle de 45, comme vous pouvez le constater; entrée sous la clavicule, elle a pénétré en ligne directe jusqu'au cœur.

L'inspecteur fronça le sourcil.

– Pourquoi ne m'avez-vous pas dit qu'on avait dérobé ici-même un revolver de 45 ?

– Parce que vous ne m'en avez pas laissé le loisir. Chaque fois que j'ai essayé de vous donner des renseignements, vous m'avez coupé la parole en prétendant que vous ne vouliez que des faits.

– Eh bien, c'en est un, ou je ne m'y connais pas ! J'ai entendu vos habituelles divagations sur l'atmosphère, les inhibitions, les refoulements, mais pas un mot de ce vol. C'est pourtant là un fait, comprenez-vous, et chaque fois que vous en découvrirez un, j'entends en être informé. Je viens de parler à miss Tallant.

– Alors vous êtes au courant pour la pendulette de voyage, le modèle d'avion et le volume du *Spectator* ?

– Ainsi que pour le revolver de votre ami Lester, ajouta Hornbeam en le regardant avec curiosité.

– C'est absurde ! clama Glass qui en fait usa d'un terme beaucoup moins académique.

– Pourquoi cette indignation ?

– Je sais ce que vous avez dans l'esprit. Avez-vous vu Lester ?

– Non, mais je vais l'interroger ainsi qu'un certain O'Reilly qui me paraît traiter les armes à feu avec une désinvolture peu commune. Voyons un peu ce projectile.

Hornbeam s'assit au bureau de renseignements, derrière lequel se trouvait un grand standard téléphonique qui servait pour les communications extérieures; l'employé de la réception et celui du standard étaient tous deux partis. L'inspecteur sortit la balle de l'enveloppe et la regarda de près.

– Avez-vous examiné le veston à la loupe? Autour de la blessure?

– Oui.

– Pas de trace de poudre?

– Le tissu n'est pas roussi, mais j'ai remarqué des parcelles infinitésimales de charge non brûlée.

– Ah! fit l'inspecteur.

Il posa sur le bureau une serviette de cuir qui renfermait quantité de petits paquets et d'enveloppes soigneusement numérotés.

– A part quelques éclats minuscules, j'ai ici tous les morceaux de verre brisé; ils nous permettront de reconstituer le vitrage. Voici le contenu des poches du mort.

– Intéressantes, vos trouvailles?

– Peut-on jamais savoir? Le lot habituel, sans plus : un stylo et un porte-mine en or, un trousseau de onze clefs, une montre en platine dont le boîtier intérieur porte cette inscription : « A notre chef bien-aimé, à l'occasion de son jubilé d'argent, ses collaborateurs reconnaissants. 10 mars 1938 », une chaîne de montre en platine, quelque menue monnaie dans les poches du pantalon, six livres en billets dans un portefeuille et une petite liasse de coupures de presse...

– Des coupures de presse?

– Oui, toutes portent la date du 11 mars et traitent du même sujet : le banquet offert à sir Ernest par son personnel à l'occasion du vingt-cinquième anniversaire de la fondation des éditions Tallant.

– Et il les a gardées dans sa poche depuis deux mois ! fit Glass. Puis-je voir ces coupures ?

– Je ne veux pas défaire le paquet, mais j'ai conservé la plus typique dans mon carnet. La voici :

L'inspecteur lut à haute voix :

– « A l'issue du banquet qui eut lieu au *Superb Hotel* sous la présidence de Mr Stephen Corinth, une médaille d'or fut remise à titre de souvenir par sir Ernest à l'employé subalterne le plus ancien des éditions Tallant. C'est à miss Helen Lake, qui fut la première collaboratrice de sir Ernest que revint la mission de lui offrir au nom du personnel une magnifique montre de platine avec sa chaîne. Le discours le plus spirituel de la soirée fut sans contredit celui de Mr Grey Haviland... »

– En quoi ce galimatias peut-il vous intéresser ?

– C'est difficile à préciser; mais il est toujours utile de savoir comment un capitaine d'industrie a monté son affaire, répondit Hornbeam. D'après ce « papier », sir Ernest a commencé par une petite publication de vulgarisation scientifique à deux *pence* et il a construit sur cette base son importante maison d'édition. Une allusion humoristique à ce début fut faite par Mr Haviland; il se servit avec adresse du nom « Tallant » pour un jeu de mots qui fit sensation, mais sa péroraison fut vraiment émouvante : « Sache, ô mon âme ! te construire une demeure de plus en plus digne de toi... » Ces fadaises me rendent malade. Qui est ce Mr Haviland ? comment est-il ?

– Tout à fait l'opposé de ce que vous pourriez croire. Il ironisait certainement, ou peut-être était-il ivre ?

Hornbeam eut un geste d'ennui.

– Il y a vraiment trop de contradiction dans cette affaire. Allons, Glass, racontez-moi tout ce que vous avez vu ou entendu ce matin, si vous vous sentez capable de me donner un compte rendu sans y ajouter des fioritures de votre cru.

Il écouta attentivement, en silence, sans faire d'autre geste que de prendre des notes.

– Ainsi sir Ernest Tallant a claqué une porte sur la main de votre ami Lester? Miss Tallant ne m'a pas parlé de l'incident; ces portes sont plutôt lourdes, il me semble.

– Lester n'a jamais dit que sir Ernest avait poussé cette porte, il attribuait au contraire à un courant d'air...

– Un courant d'air? Pas dans une construction munie d'un système d'aération telle que celle-ci. Une autre personne aurait pu faire le coup. Qui se trouvait dans la pièce?

– D'après Bill, il n'y avait que miss Lake.

– Je crois que nous ferions mieux d'aller dire un mot à votre ami, dit Hornbeam en se levant.

Un garçon d'ascenseur à l'air égaré les fit monter au quatrième étage. Les yeux rougis, miss Angèle Wicks était assise à son bureau. Elle se hâta de jeter sa cigarette à leur approche, mais ne leur offrit pas de les conduire.

Tous fumaient dans la maison, sans doute par énervement. L'atmosphère du bureau de Lester était à peine respirable et un désordre invraisemblable régnait dans la pièce que le jeune homme arpentait de long en large en changeant machinalement ses livres de place.

– L'inspecteur en chef Hornbeam, si je ne me trompe? dit-il en libérant une chaise encombrée de bouquins pour l'offrir à son visiteur. Je suis bien heureux de vous voir. Glass m'a dit que vous étiez son ami...

– Non, monsieur, je suis ici en service commandé.

Ce « monsieur » jeta un froid. Lester dégagea vivement un autre siège.

– Je comprends parfaitement, en tout cas, le but de votre visite, poursuivit-il. Mon revolver, que j'avais confié à O'Reilly, a disparu sans que je sache ni pourquoi ni comment, et on s'en est servi pour tuer le patron. C'est bien cela?

– Mais pas du tout, Mr Lester, fit Hornbeam en feignant la surprise, nous ignorons de quelle arme on s'est servi. Entendez-vous insinuer par là qu'on aurait agi ainsi pour vous compromettre?

– Non, oui... je ne sais pas... Pourquoi vouloir me compromettre?

Glass eut l'impression que cette dernière question touchait la véritable cause de l'hésitation de Lester.

– Je voudrais simplement vous poser quelques questions au sujet de cette arme, monsieur, dit Hornbeam. La reconnaîtriez-vous?

– Certainement. Mes initiales sont gravées dessus; c'est ma mère qui me l'a donnée.

– Votre mère!

– Mais, oui, on faisait des cadeaux de ce genre pendant la guerre.

– La guerre? fit Hornbeam, surpris. Vous semblez si jeune!

Lester leva machinalement la main comme pour toucher sa tempe et le Dr Horatio Glass vit soudain son jeune ami sous un aspect nouveau. On croit avoir affaire à un garçon insouciant, mais sous cette jeunesse, ce modernisme, qui est comme un masque dans le monde de l'édition, se cachent des forces obscures qui vous échappent.

– Jeune? fit Lester. Oh! je n'avais évidemment pas l'âge légal pour m'enrôler, mais on a accepté sans trop de difficultés et j'ai fait trois ans de guerre.

– Trois ans ! Dans quelle formation, monsieur ?

– Le régiment territorial d'infanterie légère de Kensington... Je ne vois pas l'importance... Notre conversation serait du reste beaucoup plus facile si vous cessiez de m'appeler « monsieur », dit-il brusquement.

– Vous avez raison, dit Hornbeam en se carrant dans son fauteuil. Votre revolver était-il d'un modèle récent ?

– Récent ? C'était le Webley le plus perfectionné que l'on pût se procurer à une époque où les armes n'avaient plus rien de primitif, je vous assure !

– C'est juste. Vous l'aviez apporté ici pour le montrer à Mr O'Reilly ? A quel moment ?

– Il y a environ deux mois, oui, exactement deux mois. C'était un jour ou deux après le banquet où nous avons offert une montre en platine au patron.

– Parlez-moi de lui, Mr Lester. Depuis combien de temps étiez-vous son collaborateur ?

– Deux ans environ.

– Voulez-vous, pouvez-vous me dire ce qu'il avait au juste contre vous ?

Lester ne chercha pas à éluder la question.

– Je n'en sais rien, et voilà précisément ce qui me tourmente. Vous êtes sans doute au courant de son attitude vis-à-vis de Pat et de moi ?

– J'en ai entendu parler. Il s'agit sans doute de motifs d'ordre privé et sans importance. Mais si vous pouviez m'en dire davantage cela pourrait éclairer notre lanterne... Dites-moi, par exemple, depuis combien de temps, miss Tallant et vous aviez décidé de vous marier.

Glass s'insurgea en secret contre cette question qui dépassait de beaucoup les attributions d'un policier, mais il se demandait souvent jusqu'à quel point l'apparente gravité de Hornbeam était feinte ou réelle.

– Depuis six mois.

– Aviez-vous averti sir Ernest de vos intentions?

– Pas avant aujourd'hui. Je... je désirais avoir mis de côté un peu d'argent avant d'affronter sa colère.

– Vous saviez que ce point lui déplairait?

– J'en étais certain.

– Il n'avait cependant aucune inimitié personnelle contre vous?

– N... non, je ne crois pas. Il souhaitait simplement un parti plus brillant pour sa nièce... un mariage à St. Margaret, des photographies dans le *Tatler,* de l'esbroufe... En outre, je n'avais probablement pas assez d'allant et d'ambition à son gré.

– Connaissait-il votre projet de mariage avant aujourd'hui?

Lester regarda Hornbeam d'un air ahuri.

– Il aurait bien été le seul à l'ignorer! Sir Ernest devait être au courant depuis deux mois au moins.

– Deux mois? Vous êtes sûr? fit Hornbeam qui, à la grande surprise de Glass, manifestait très ostensiblement son intérêt.

– Cela date du banquet donné pour le vingt-cinquième anniversaire de la fondation de la maison. Je ne sais si vous en avez entendu parler; ce fut une soirée tumultueuse, un peu débraillée même, et la raison en est bien simple. Le patron, qui était d'une sobriété totale, essayait d'ordinaire de nous faire partager son antipathie pour une personne que l'alcool n'effrayait pas, non par fanatisme, mais simplement parce qu'il estimait que le fait de boire diminuait la puissance de travail. Pourtant, en certaines occasions – telles que ce banquet ou les fêtes de Noël – non seulement il nous autorisait à en faire usage, mais il nous poussait à boire. On aurait dit que le spectacle de gens ivres autour de lui – qui ne touchait à rien – le réjouissait. Cela m'a toujours frappé. La première fois qu'il m'a offert une énorme chope à bière pleine de champagne – c'était au dîner donné en l'honneur de George Belsize –, j'ai failli tomber à la renverse.

» Mais je vous parlais du banquet d'anniversaire, où Pat et moi avons manqué de la prudence la plus élémentaire. J'étais, il faut bien l'avouer, saoul comme un polonais, mais, à part le patron qui nous encourageait à continuer, le laisser-aller était général. On s'amusait ferme. Corinth fait toujours bien les choses : l'étage supérieur du *Superb Hotel* nous avait été entièrement réservé, la salle du banquet étincelait de dorures, de miroirs et de lumières, mais plusieurs petits salons, discrètement éclairés, servaient de refuges aux couples émoustillés. J'entraînai Pat dans le salon turc et je commençais à l'embrasser, lorsque...

– Sir Ernest fit irruption? dit Glass.

– Non, Helen Lake, dit Lester. Je relevai la tête et la vis en pleine lumière dans l'embrasure de la porte. Elle avait les joues en feu et a fait demi-tour sans proférer un mot. Mais on peut parier à coup sûr que Helen rapporte tout ce qu'elle sait au patron.

– Et vous supposez qu'il a poussé la porte sur votre main pour cette raison? fit Hornbeam après réflexion.

– Je n'ai rien à ajouter à ce sujet, dit Lester d'un ton sec. *Rien*, est-ce clair?

– Comme il vous plaira, dit Hornbeam en se

levant. Une simple question : où étiez-vous lorsque vous avez perçu la détonation?

– Je ne l'ai pas entendue.

– A l'heure où elle a eu lieu, si vous préférez?

– Je devais être aux lavabos en train de passer à l'eau froide ma main. J'y suis entré vers midi 20, je crois, et n'en suis sorti qu'à midi et demi. C'est Angus Mac Andrew qui m'a appris ce qui venait de se passer. Nous avons parlé ensemble de cet événement et je suis descendu dans le hall où j'ai trouvé le docteur ici présent.

– Vous parlez du lavabo qui se trouve à cet étage?

– Oui, à mi-chemin du corridor. Il y a une plaque indicatrice sur la porte.

– Avez-vous des témoins susceptibles de confirmer cette déclaration, Mr Lester?

– Malheureusement il n'y avait personne aux lavabos... Néanmoins quelqu'un a pu me voir entrer... mais oui, Angèle!

– Angèle?

– Miss Wicks, l'employée de la réception de l'étage; je crois me rappeler qu'elle m'a suivi dans le corridor... (Lester raconta en quelques mots comment leur groupe s'était dispersé.)... mais je n'en jurerais pas. Ne voulez-vous pas me dire ce que vous avez dans l'esprit, inspecteur? Que cherchez-vous? qu'allez-vous faire?

– Oh! il n'y a pas lieu d'être mystérieux à ce sujet, répondit Hornbeam avec bonhomie. Nous allons regarder de près cet ascenseur, qui est la cause de tout; je suppose que le portier connaît tout de son fonctionnement?

– Il y a mieux, dit Lester. Pluckley est l'homme de la situation, il est chef mécanicien et saura vous renseigner. je vais l'appeler si vous m'y autorisez?

– Je vous en prie, dit Hornbeam.

Lester fit fonctionner le téléphone.

– Il sera là dans une minute. Laissez-moi vous poser une dernière question, Hornbeam. Supposez que Pat ait raison, qu'arriverait-il si vous trouviez que l'assassinat du patron était matériellement impossible ?

– Nous n'aurions plus en ce cas à vous importuner, Mr Lester.

– Vous croyez donc que je l'ai tué ?

– C'est une possibilité à envisager. Au revoir, monsieur.

VII

Quelques minutes plus tard, Hornbeam venait de terminer un entretien instructif, mais assez troublant, avec miss Wicks lorsque Vincent Pluckley vint les rejoindre dans le bureau de la réception au quatrième étage. Il avait l'air vieux et infiniment las.

Le docteur constata une fois de plus que Hornbeam avait été servi par la chance.

Miss Wicks, nouvelle Niobé, au visage inondé de larmes qui coulaient inlassablement sans qu'elle parût s'en apercevoir, était assise à sa place habituelle. La lumière reflétée par l'acajou du bureau jouait sur ses mains pâles, veinées de bleu.

L'inspecteur en chef l'aborda avec tact.

– Il n'y a pas de quoi vous tourmenter, miss Wicks, lui dit-il, je désire simplement vous poser quelques questions. Je suis...

– Un instant, dit Glass. Vous m'écoutez, miss Wicks ?

– Certainement, répondit l'anguleuse divinité en soupirant.

– Mon ami s'appelle Hornbeam, vous entendez bien. H-o-r-n-b-e-a-m. Pour l'amour du ciel ne cherchez pas à retenir son nom au moyen d'un de vos fameux procédés mnémotechniques...

Miss Wicks cessa brusquement de pleurer.

– Seriez-vous par hasard parent du chanoine Hornbeam de Sylchester?

– Mais oui! Je suis son neveu!

– Et, allez donc! fit Glass à mi-voix.

Hornbeam se retourna, indigné.

– Je vous répète que le chanoine Hornbeam est mon oncle, fit-il d'un ton bourru. Pourquoi ne serais-je pas apparenté à un dignitaire de l'Eglise?

– Mais c'est merveilleux! s'écria miss Wicks au comble du ravissement. Mon oncle connaît très bien le chanoine Hornbeam, car il est doyen du chapitre de Barchester. C'est grâce à lui que je suis entrée ici : il est conseiller et directeur technique des publications religieuses Tallant. J'espérais même être employée dans cette branche, mais hélas, miss Tallant s'en occupe entièrement.

– Est-elle bonne directrice? demanda vivement Glass.

Miss Wicks regarda droit devant elle et ne répondit pas.

D'un coup d'œil, Hornbeam imposa silence au médecin.

– Parlons un peu de miss Tallant, dit-il lentement. Si j'ai bien compris, elle se trouvait dans cette pièce avec Mr Lester et Mr Haviland, immédiatement avant l'accident de sir Ernest, lorsqu'elle remarqua la main abîmée de Mr Lester; son émotion fut si vive qu'elle saisit un modèle d'avion et, d'un geste impulsif, le jeta contre le mur...

L'inspecteur désigna l'avion qui gisait toujours dans un coin.

– Est-ce exact?

– Parfaitement exact.

– Qu'est-il arrivé ensuite, miss Wicks?

L'anguleuse divinité s'essuya les yeux et, redevenue employée modèle, répondit :

– Mr Haviland est parti le premier en disant qu'il avait déjà eu suffisamment d'émotion au cours de la matinée et miss Tallant a ordonné à Mr Lester d'aller se baigner la main.

– Alors?

– Ils ont quitté la pièce.

– Ensemble?

Elle fronça le sourcil.

– Je le crois, mais ne puis rien affirmer, car j'étais occupée au téléphone.

Le froncement de sourcil s'accentua.

– Je *devrais* pourtant me souvenir. Mr Haviland était monté ici, mais vous êtes probablement au courant. Je lui sers de lectrice; il me confie des manuscrits destinés à être publiés dans *le Guide du Parfait Chrétien* et apprécie beaucoup ma collaboration. Mr Haviland n'est pas un mauvais garçon, il aurait simplement besoin de soins dévoués. Pas plus tard qu'hier, il m'avait demandé de lire d'urgence quatre manuscrits dont il avait besoin. J'ai veillé jusqu'à 3 heures du matin pour en achever la lecture et je les ai apportés au bureau ce matin. Il est bien venu ici avec ce modèle d'avion brisé, mais imaginez-vous que dans l'émotion de la scène qui suivit j'ai complètement oublié mes manuscrits et ne me les suis rappelés qu'après le départ de Mr Haviland, de Mr Lester et de miss Tallant.

– Continuez, miss Wicks.

Elle joignit les mains avec nervosité.

– Ma présence ici n'était pas indispensable, j'ai

cru pouvoir m'absenter pendant quelques minutes et suis descendue rapidement chez Mr Haviland.

La pièce était devenue très silencieuse. Glass crut apercevoir dans l'entrebâillement d'une porte la tête de O'Reilly, mais celui-ci rentra aussitôt dans sa tanière.

– Vous souvenez-vous par hasard de l'heure exacte à laquelle vous êtes descendue ? demanda Hornbeam.

– Naturellement, répondit miss Wicks avec dignité, il était exactement 12 h 13.

– Vous en êtes sûre ?

Miss Wicks indiqua d'un signe sa montre-bracelet.

– Il fallait que je sache combien de temps je pouvais rester absente.

– Je vous remercie. Comment êtes-vous descendue ?

– Comment ? Oh ! je comprends; mais par le grand ascenseur du corridor.

– Avez-vous aperçu Mr Lester en chemin ?

– Non, je n'en ai aucun souvenir.

– Vous ne l'auriez pas vu entrer aux lavabos, par exemple ?

– Mr Hornbeam ! s'écria la vieille fille scandalisée.

– C'est une question toute naturelle. Ainsi vous êtes descendue chez Mr Haviland. Etait-il dans son bureau ?

Elle hésita.

– Allons, miss Wicks, répondez-moi franchement. De deux choses l'une : ou vous l'avez vu, ou vous ne l'avez pas vu.

– Je m'aperçois que la police n'a pas perfectionné votre éducation, et je suis certaine que votre oncle serait de mon avis, dit-elle avec humeur. Vous me permettrez peut-être de vous expliquer que le bureau de Mr Haviland correspond exactement à cette pièce, deux étages plus bas, de même que celui de miss Tallant à l'étage en dessous...

– Vous voulez dire que l'ascenseur privé passe dans son bureau?

– Exactement comme ici, Mr Haviland et miss Tallant ont des services très importants quoiqu'ils disposent de moins d'espace que nous. Mr Haviland a plusieurs employés sous ses ordres et une secrétaire, miss Milkshake, qui manifeste souvent un zèle intempestif. N'a-t-elle pas essayé de m'empêcher de le voir sous prétexte qu'il avait donné des ordres pour qu'on ne le dérange pas? J'ai naturellement passé outre et j'allais ouvrir la porte lorsque j'ai entendu...

– Qu'avez-vous entendu?

– La détonation, fit l'autre sans sourciller, et un fracas de verre brisé, mais ce n'est pas tout...

– Achevez.

– J'ai entendu un éclat de rire.

La porte du bureau de O'Reilly s'ouvrit à nouveau et le directeur des romans d'aventures, dont les cheveux en bataille semblaient avoir pris une rigidité comparable à celle de ses oreilles tendues, s'immobilisa dans l'embrasure; mais Hornbeam ne parut pas l'apercevoir.

– Un éclat de rire?

– Si je n'étais pas certaine de pouvoir me fier à vous, dit-elle en ponctuant sa déclaration d'un bref salut, je ne vous en parlerais pas. C'était bien un éclat de rire et qui n'avait rien d'agréable à entendre, je puis vous l'affirmer.

– Sûrement, fit Glass. Ecoutez...

– Taisez-vous! ordonna Hornbeam. D'où venait ce rire, miss Wicks? Du bureau de Mr Haviland?

– Je ne puis rien affirmer, il est fort difficile de situer les sons dans cet immeuble.

– Vous avez néanmoins supposé qu'il venait de là?

– Je ne sais pas; avec ces murs creux, il aurait pu venir de n'importe où.

Hornbeam scruta le visage de la vieille fille qui soutint sans faiblir son examen.

– Qu'avez-vous fait ensuite, miss Wicks?

– Je suis entrée dans le bureau de Mr Haviland.

– Etait-il là?

– Oui, je l'ai vu juché sur une chaise, occupé à redresser un tableau.

La réponse inattendue et le ton avec lequel elle fut prononcée, éveilla l'attention de Glass qui se hâta de demander avant que Hornbeam pût intervenir :

– Où se trouvait le tableau?

– Au-dessus de la porte de l'ascenseur, répondit miss Wicks; c'est une belle gravure originale, une marine, qui a servi pour une illustration. Je vous raconte tout cela, car cette peste de miss Milkshake ne manquera pas de vous en avertir et les mobiles de Mr Haviland ont été souvent mal interprétés.

– A l'heure du crime, Mr Haviland, debout sur une chaise, redressait un tableau suspendu au-dessus de la porte de l'ascenseur, dit Hornbeam d'une voix blanche.

– Exactement, fit le témoin d'un ton sec.

– Que vous a-t-il dit?

– Il n'y avait, en vérité, rien à dire. Mr Haviland est descendu de son perchoir et m'a remerciée de lui avoir apporté les manuscrits. Il suçait des pastilles de menthe.

– Il n'a fait aucune allusion à la détonation?

– Il m'a simplement dit très poliment ceci : « Ne vous inquiétez pas, quoi qu'il arrive, miss Wicks.

Je vous prie instamment de retourner là-haut. » On s'est souvent mépris sur l'extrême courtoisie qui est le fond même du caractère de Mr Haviland.

Hornbeam eut beau la questionner avec une louable patience, il ne put tirer d'elle aucun renseignement nouveau et il n'insista pas davantage – au grand mécontentement de Glass – car le chef mécanicien venait d'arriver. L'inspecteur pria miss Wicks d'aller dans le bureau de Lester; un coup d'œil lui suffit à faire rentrer O'Reilly dans son repaire, après quoi il se tourna vers Pluckley.

– Ah! vous voilà, mon garçon, votre concours va m'être précieux; vous allez me mettre au courant de tout ce qui concerne cet ascenseur... (Il traversa vivement la pièce et désignant la porte du doigt :) Vous savez ce qui s'est passé?

– Oui, je sais, répondit Pluckley.

Le ton de sa réponse, l'inflexion légèrement gouailleuse de la voix provoquée par la familiarité de l'accueil, surprit-elle Hornbeam? On ne saurait le dire, mais il posa sur l'homme un regard aigu.

Glass remarqua que Pluckley avait enlevé sa cotte de travail; il portait un complet de serge bleue, un peu moiré aux coudes et dont les manches trop courtes laissaient voir ses poignets vigoureux. Dans son visage nettoyé de frais, les rides ne semblaient plus dessinées avec de la graisse à machine et ses cheveux grisonnants, qu'une frisure naturelle tendait à ébouriffer, paraissaient lissés depuis peu. Le docteur en conclut qu'il avait dû sortir du temple, et il eut de nouveau l'impression de se trouver en face d'un homme intelligent, à l'esprit subtil, dont l'expression morose pouvait traduire aussi bien la lassitude qu'une mauvaise humeur refrénée. Les yeux d'un bleu très clair, sous d'épais sourcils broussailleux, ne quittaient pas Hornbeam du regard.

– Vous êtes le mécanicien de l'établissement?
Pluckley ne répéta pas la même faute.
– Oui, monsieur.
– Depuis combien de temps êtes-vous employé ici?
– Depuis vingt-six ans.
– J'ignorais que sir Ernest Tallant occupait la maison depuis si longtemps.
– Je travaillais ici avant la venue de sir Ernest, dit Pluckley. Mais vous vouliez connaître le fonctionnement de l'ascenseur?
Il pressa le petit bouton rouge placé à droite de la cage d'ascenseur; en dépit des ongles noircis et de l'incrustation indélébile de crasse qui dessinait leurs rides, ces mains d'ouvrier étaient fines et expressives; le Dr Glass remarqua qu'elles étaient légèrement déformées par l'arthrite. Lorsque la cabine arriva à l'étage, Pluckley, dont tous les mouvements étaient lents, ouvrit la porte et se retourna.
– Vous avez certainement circulé dans des ascenseurs du même genre et vous en connaissez déjà certaines particularités. Celui-ci est mû par un moteur électrique Rice-Singleton.
– Où se trouve ce moteur? demanda Hornbeam.
– Dans un appentis spécial, que nous appelons le tambour, situé au-dessus de la cage d'ascenseur, dit Pluckley en entrant dans la cabine. Venez ici. En regardant attentivement là-haut, vous verrez les câbles traverser le toit.
L'inspecteur obéit à l'invitation.
– Oui, je vois. Existe-t-il une communication quelconque entre le tambour et la cage? Vous comprenez ce que je veux dire : quelqu'un se trouvant dans la chambre du moteur aurait-il pu se glisser dans la cage d'ascenseur?

– Non, c'est impossible.
– Vous en êtes sûr?
– Je vous conduirai là-haut, vous verrez. Le toit de cette cage (qui forme le plancher du tambour) est en béton et n'a d'autre ouverture que les trous ménagés pour le passage des câbles.

Hornbeam, tête levée, examinait attentivement ce qu'il pouvait apercevoir à travers le plafond brisé de la cabine.

– Vous voyez où je veux en venir? Un individu placé dans la chambre du moteur aurait-il pu tirer un coup de revolver sur la cabine?
– Non.
– Bien, nous verrons cela. Existe-t-il des ouvertures dans cette cage en dehors de l'unique porte ménagée à chaque étage?
– Aucune.
– Pas de ventilateur, de trou d'aération?
– Non, vous pourrez vous rendre compte de la chaleur qui règne ici.

Pluckley tira un mouchoir de sa poche, choisit méticuleuscment un coin propre et s'épongea le front. On aurait dit qu'il fuyait le regard de l'inspecteur. Glass remarqua qu'il évitait d'approcher les taches de sang qui souillaient le plancher; Hornbeam s'en aperçut aussi.

– Cette affaire semble vous inspirer une certaine répugnance?
– Quelle affairc? fit stupidement Pluckley, qui regardait toujours en l'air.
– Cette mort ne vous affecte donc pas?
– Elle me laisse sur le pavé, à cinquante-huit ans.

Il baissa la tête et le visage qu'il tourna vers eux eût été effrayant, si son expression ne se fût modifiée immédiatement.

– Pourquoi perdriez-vous votre situation?

– Mr Corinth voudra rajeunir son personnel, dit Pluckley. Que désirez-vous savoir encore au sujet de l'ascenseur, monsieur?

Il y avait dans cette réponse une réserve de bon ton qui faillit arrêter Hornbeam. Le Dr Glass se demanda si cette façon d'effacer et d'affirmer tour à tour sa personnalité n'était pas un truc habile et il pensa avoir dégagé de cette conversation l'unique raison pour laquelle certaines personnes auraient pu souhaiter que sir Ernest vécût longtemps.

Mais Hornbeam ne se laissa pas émouvoir. De telles considérations pouvaient attendre.

– Je voudrais que vous m'expliquiez le fonctionnement des portes, dit-il à Pluckley.

L'inspecteur indiqua du geste la succession de boutons placés à droite de la cabine : en bas un bouton noir avec la mention *lumière*, qui actionnait les quatre ampoules du plafond, puis des boutons rouges superposés et, en regard, *rez-de-chaussée*, puis des chiffres de 1 à 5, et tout en haut le mot *stop*.

– A quoi sert ce bouton marqué *stop?* demanda Hornbeam.

– A corriger les erreurs, répondit Pluckley.

– Comment cela?

– Supposez qu'ayant l'intention de monter au quatrième étage vous pressiez par erreur le bouton du deuxième : l'ascenseur est déjà en route lorsque vous vous apercevez de votre faute, vous n'avez qu'à pousser le bouton *stop* pour l'arrêter et vous pressez ensuite le bouton de l'étage où vous désirez aller.

– Excellente idée, fit Hornbeam (S'adressant à Glass, il ajouta :) Vous m'avez bien affirmé que cet ascenseur ne s'était pas arrêté entre le moment de la détonation et celui de son arrivée au rez-de-chaussée ?

– Oui, et je ne suis pas le seul à avoir fait cette constatation.

L'inspecteur se tourna vers Pluckley.

– Peut-on ouvrir l'une de ces portes pendant que l'ascenseur est en marche ?

– Non, c'est impossible.

– Pourquoi ?

Le débit de Pluckley était aussi lent que ses mouvements.

– Pour deux raisons, dit-il. *Primo* : le poids de la personne stationnant sur le plancher de la cabine – n'importe quel poids dépassant sept kilos – établit un contact électrique qui bloque les portes; *secundo,* la porte ne s'ouvre que lorsque la cabine est arrêtée à l'étage donné; le bord s'engage dans une sorte de glissière, où il est retenu, et établit le contact. Sans cette condition, il est impossible d'ouvrir la porte. De nombreuses cabines d'ascenseur sont munies à l'intérieur d'une porte pliante qui constitue une précaution supplémentaire : si l'on tente d'ouvrir cette porte, l'ascenseur s'arrête immédiatement, et dans certains quartiers de Londres ce mode de fabrication est exigé par la loi. Sir Ernest n'en a pas voulu ici, mais les portes ont été munies du maximum de sécurité.

Hornbeam sortit de l'ascenseur.

– Ça ne colle pas ! dit-il après réflexion.

– Bravo ! fit Glass.

– Taisez-vous, Horry. Mais supposez que l'un des contacts soit déréglé ?

– Ils sont tous en parfait état, répliqua Pluckley, j'ai vérifié l'ascenseur ce matin même.

– Quand cela ?

– J'ai commencé peu après 11 heures, mais miss Tallant est venue me faire perdre mon temps. Je l'ai fait descendre au rez-de-chaussée et je suis remonté à l'étage supérieur pour travailler. J'ai dû terminer un peu après 11 heures et demie.

Hornbeam consultait son carnet; il leva le nez.

– Comment vérifie-t-on un ascenseur?

– Il faut essayer les boutons, examiner les contacts de chaque porte, vérifier le moteur dans le tambour, monter sur le toit pour...

– Sur le toit? s'écria Glass, le toit de la cabine?

Pluckley commençait à s'énerver.

– Oui, monsieur, qu'y a-t-il de si extraordinaire?

– J'allais précisément vous demander, fit Hornbeam avec le plus grand calme, comment, si ces portes sont conditionnées de façon à ne s'ouvrir que lorsque la cabine s'arrête à l'étage, on peut accéder au toit. Que faut-il faire pour arrêter la cabine entre les étages et pénétrer dans la cage d'ascenseur?

– C'est impossible tant que le courant électrique n'est pas interrompu. Il faut d'abord monter au tambour pour tourner le commutateur. Une fois le courant coupé toutes les portes s'ouvrent sans difficulté.

– Mais comment peut-on manœuvrer l'ascenseur lorsque le courant est coupé? Est-ce possible?

– Certainement. On se sert du treuil à bras placé dans la chambre du moteur; les contrepoids sont parfaitement équilibrés et la manœuvre est aussi facile que celle consistant à tirer l'eau d'un puits; je l'ai exécutée ce matin et j'avais arrêté la cabine un peu en dessous de l'étage supérieur, lorsque sir Ernest, qui désirait se servir de l'ascenseur pour descendre chez Mr Haviland, m'a renvoyé.

– Ce n'est pas à ce voyage qu'il a été tué?

– Non, l'accident s'est produit au moins trois quarts d'heure plus tard.

Glass se souvint que sir Ernest s'était en effet arrêté au quatrième étage, où il avait fait des remarques sybillines devant Patricia, Lester et lui-même; il revenait du bureau d'Haviland.

Hornbeam ne quittait pas Pluckley du regard.

– Vous êtes donc entré *dans* la cage d'ascenseur?

– Certainement.

– Et tout y était en parfait état?

– J'en jurerais.

Hornbeam s'assit dans le fauteuil de miss Wicks et le fit tourner pour faire face à l'ascenseur.

– De la méthode, grommela-t-il entre ses dents. Pas si vite! tous ces détails seront à vérifier, il s'agit de trouver la faille... elle existe sûrement quelque part sans quoi le meurtre eût été impossible; or, l'impossibilité n'existe pas.

– Vraiment? fit Glass.

– Une bonne cruche ne fuit pas. Inversement, une cruche fêlée ne peut retenir l'eau. Nous avons ici une cage d'ascenseur en béton, n'ayant d'autres ouvertures qu'une porte à chaque étage; or, ces portes, nous dit-on, ne peuvent pas s'ouvrir. Un homme est tué dans cet ascenseur hermétiquement clos, d'où il est impossible de sortir, et on ne retrouve ni arme ni meurtrier. C'est donc que certains de nos faits sont erronés.

– *Sancta simplicitas*! fit Glass. Ne pouvez-vous imaginer une autre façon d'accomplir le crime?

– Et vous?

– J'en ai au moins quatre à vous offrir.

– C'est bien ce que je craignais! soupira Hornbeam. Allez-y, je vous écoute.

Le Dr Glass essuya son lorgnon et le replaça avec grâce sur son nez.

– J'entrevois déjà quatre manières de procéder et je n'ai pas épuisé le sujet. Chacune d'elles implique un meurtrier différent et elles sont relativement simples. Nous les cataloguerons pour plus de facilité : 1° la méthode scientifique; 2° la méthode de l'illusion auriculaire; 3° la méthode X, et 4° la méthode Y.

– Développez-les.

– Commençons par la plus simple. Il est impossible pour un meurtrier d'entrer ou de sortir de la cage d'ascenseur : *ergo* aucun meurtrier n'y a pénétré; par conséquent sir Ernest Tallant a été tué au moyen d'un stratagème mécanique, une sorte de machine infernale consistant en un revolver adapté à l'intérieur de la cage d'ascenseur. En ce cas le suspect évident, le meurtrier probable, est notre ami Mr Pluckley.

VIII

Le danger du raisonnement purement théorique est de ne pas être compris de tout le monde. Certaines personnes sont même parfois tentées d'en faire une application directe.

Vincent Pluckley tressaillit et un voile éteignit soudain son regard.

– Pourquoi aurais-je commis un acte pareil? dit-il.

Glass mit quelques secondes à s'apercevoir que le mécanicien avait pris son hypothèse à la lettre.

– Certes, je reconnais que nous avons eu autrefois certaines divergences de vues, mais...

Le Dr Glass faillit en tomber à la renverse, mais

Hornbeam dressa l'oreille; il savait ce que signifiait ce début hésitant, mal assuré.

– Ainsi, mon garçon, vous avez eu des difficultés avec sir Ernest?

Pluckley planta ses poings sur ses hanches.

– Vous m'obligerez infiniment en vous abstenant de m'appeler « mon garçon », fit-il soudain. Arrêtez-moi si vous croyez devoir le faire, mais votre attitude a été assez insultante jusqu'ici pour que vous évitiez de l'accentuer encore!

Hornbeam se leva d'un bond.

– Vous avouez donc avoir tué sir Ernest Tallant?

– Grand Dieu, non! fit Pluckley qui reprenait son sang-froid. Je... Sir Ernest était mon seul appui, et sa mort me met sur le pavé, à moins que miss Patricia ne prenne la direction de la maison... Mais connaissant Corinth, j'en doute.

– Alors que signifie votre attitude?

– C'est à moi de vous demander ce que vous avez dans l'esprit, monsieur. J'ai cru que vous m'accusiez de...

– Quelle mouche vous pique? dit Glass. Je ne faisais que développer une théorie logique...

– Bien, monsieur, dit Pluckley d'un ton tout différent.

Glass craignit un instant de le voir redevenir l'être effacé, falot, sans réaction, qu'il était au début de leur entretien. Mais l'émotion de Pluckley avait été si vive qu'elle avait délié la langue de ce silencieux.

– Je voudrais bien savoir quelle sorte de revolver à décharge mécanique j'aurais pu placer dans la cage d'ascenseur? Où est-il? et comment aurait-il pu fonctionner?

– L'esprit scientifique..., dit Glass.

Une lueur de colère anima le regard de Pluckley.

– Pardon. J'ai cru autrefois posséder moi-même un esprit scientifique, et si une machine infernale a été placée dans cette cage d'ascenseur, je reconnais devoir être présumé coupable, car je suis le seul à y avoir accès. Mais je n'ai rien fait de tel, je le jure, aucun piège n'était tendu dans cette cage lorsque je l'ai inspectée. Voilà pourquoi j'aimerais bien que vous m'en exposiez le mécanisme.

Glass arpentait la pièce; il jeta un coup d'œil furtif du côté de Hornbeam et s'aperçut que celui-ci écoutait avec attention.

– Très bien! Raisonnons d'après les indices les plus évidents, et notons en premier lieu qu'il était, dans une certaine mesure, assez facile de tuer sir Ernest Tallant avec une arme braquée à l'avance car il se tenait toujours au même endroit dans la cabine...

Hornbeam et Pluckley eurent un même geste de surprise.

– Ne me dites pas que vous ne l'avez pas remarqué, Dave. J'ai vu Tallant dans l'ascenseur à plusieurs reprises, il occupait chaque fois l'angle arrière droit. En voulez-vous la preuve? La voici. (Il s'avança vers la cabine.) Regardez : on voit très nettement dans cet angle deux marques de frottement sur la peinture à un mètre cinquante du sol, par conséquent au niveau des épaules; c'est là qu'il s'est toujours appuyé et cela a laissé ces traces. (Vous les aviez vues, Dave.) Ai-je tort ou raison?

Pluckley hésita.

– Oui, dit-il, c'est vrai.

– Bien! Connaissant la position exacte de sa victime, le meurtrier fixe un revolver au toit de béton de la cage d'ascenseur.

– Comment? demanda Hornbeam.

– Ne cherchez pas la petite bête, fit Glass, je suis un artiste, non un artisan, et vous laisse le soin de tirer au clair ces menus détails pratiques. Donc le meurtrier fixe le revolver en le braquant sur le point que doit occuper sa victime, il attache à la détente une solide ligne à pêcher qui passe sur une petite poulie et vient s'attacher au toit de la cabine. Sir Ernest presse le bouton, la cabine en descendant tire sur la ligne, qui actionne la détente et... pan ! Vous y êtes ?

Les bras croisés, Glass contempla son auditoire.

– Oui, fit Hornbeam. Et qu'advient-il ensuite du revolver ?

– Ah ! j'avais oublié ce détail ! Eh bien, la ligne étant toujours attachée à l'ascenseur arrache tout le mécanisme qui tombe...

– Où ? A travers le ciel vitré dans la cabine ?

– Non, il glisse sur le côté du toit et tombe au fond de la cage d'ascenseur. Vous le retrouverez sous la cabine.

Hornbeam enfonça son chapeau sur sa tête.

– Je ne vous donnerai pas mon opinion car il est encore trop tôt, mais rien ne m'empêche de soulever des objections. Avez-vous oublié les traces de poudre sur le verre du plafond ? Ceci prouve – de votre propre aveu – que le coup de feu est parti à quelques centimètres du châssis vitré. Or, on n'aurait pas pu disposer un engin aussi compliqué dans la ligne de descente... où diable l'aurait-on mis ? Et si on l'avait adapté sur le toit de la cabine, vous n'auriez pas manqué de l'apercevoir au passage de l'ascenseur.

– Oui, mais... que diriez-vous d'un dispositif électrique ? Tallant presse un bouton...

– Quel bouton ?

– Comment le saurais-je ? J'essaye justement de vous fournir des suggestions intelligentes.

– Voilà quinze ans que je me tue à vous dire que la tâche de la police ne consiste pas à imaginer les hypothèses les plus abracadabrantes et à prier ensuite quelqu'un d'autre d'en faire la preuve. Votre « dispositif électrique » est à éliminer pour le même motif que l'arme actionnée par le fil de pêche; le manque de place pour l'installer, joint à une autre raison, achève d'anéantir votre hypothèse. Sir Ernest a utilisé plusieurs fois cet ascenseur avant d'être tué. Si cette machine infernale avait existé, elle ne pouvait choisir ni son heure ni sa victime, et ce ne pouvait être une machine à retardement munie d'un mécanisme d'horlogerie, car personne ne pouvait savoir à quel moment sir Ernest utiliserait l'ascenseur.

– Vous éliminez donc la possibilité d'un engin mécanique ?

Hornbeam parut surpris.

– Je n'élimine jamais rien *a priori*, mais l'hypothèse me paraît assez invraisemblable et je me propose de vérifier d'abord les autres faits. On n'actionne pas la détente d'un revolver avec du vent !

Un sourire ironique détendit le visage de Vincent Pluckley.

– En effet, c'est impossible, dit-il. Mais permettez-moi de vous poser une question : qu'arrivera-t-il si vous reconnaissez que je n'ai pas menti et que toutes les portes de l'ascenseur fonctionnent régulièrement ? Si j'étais un meurtrier, j'aurais pu dérégler un contact à votre intention, mais je vous ai dit la vérité. Vous vous amusez avec une hypothèse qui peut avoir pour moi de graves conséquences.

– Si je vous ai fait venir ici, reprit Hornbeam,

c'est uniquement parce qu'étant chef mécanicien vous connaissez mieux que personne cet ascenseur. Que s'est-il passé, à votre avis ?

– Je ne sais pas.

– Vous n'êtes cependant pas un imbécile, vous devez avoir une idée. Que feriez-vous à ma place ?

– J'essayerais de savoir à quel endroit se trouvait la cabine au moment du coup de feu, répondit lentement Pluckley.

– Précisément. Pouvez-vous me donner la vitesse de marche de l'ascenseur ?

– Pas au pied levé. Mais on doit pouvoir l'évaluer sans difficulté. La cabine met exactement une minute pour descendre de l'étage supérieur jusqu'en bas.

Hornbeam avait repris son carnet.

– Continuez. Il y a un sous-sol ?

– Oui, mais la cabine n'y va pas; elle s'arrête au rez-de-chaussée.

– Une minute pour descendre. C'est peu ! Quelle est la hauteur de chaque étage ?

– Six mètres cinquante-six, pour être précis, mais il y a entre chaque étage un espace de cinquante centimètres dont il faut tenir compte pour le parcours de l'ascenseur.

Hornbeam fit tourner son fauteuil et s'installa sur le bureau de miss Wicks pour faire des calculs; Glass, pour ne pas être en reste, traçait des chiffres sur le dos d'une enveloppe.

– Voyons, grommela Hornbeam, si nous éliminons l'espace du sommet et celui du fond de la cage, il reste quarante-deux mètres entre le cinquième étage et le rez-de-chaussée. Par conséquent...

– Par conséquent, poursuivit Glass, si la cabine parcourt quarante-deux mètres en une minute...

– Non, fit Hornbeam.

– Comment, non?

– Elle ne parcourt pas quarante-deux mètres en une minute, elle en parcourt trente-cinq.

Glass regarda l'inspecteur en chef par-dessus son lorgnon avec une évidente commisération.

– Voyons, Dave, réfléchissez! elle fait le trajet entier du haut en bas.

– Oui, mais elle ne parcourt pas les six premiers mètres.

– Pourquoi pas?

– Parce qu'elle est déjà à l'arrêt à l'étage, parbleu! fit Hornbeam.

Glass refréna une envie subite de jeter à terre le chapeau de Hornbeam pour le piétiner. Il avait toujours eu les mathématiques en horreur.

– Je n'ai pas envie de me lancer dans un de ces problèmes assommants de collisions de trains ou de remplissage de réservoirs qui comptent parmi les mauvais souvenirs de ma vie d'écolier, dit-il. Pourtant la cabine descend bien du haut en bas?

– Oui.

– Elle couvre donc une distance de quarante-deux mètres.

– Non! fit Hornbeam furieux de ces questions qui dérangeaient ses calculs. Remplacez en imagination la cabine par une brique et supposez qu'il y ait six compartiments superposés; la brique se trouve dans le premier, elle tombe, mais cette chute n'a lieu qu'à travers les cinq compartiments du dessous : vous me suivez?

– Oui.

– Par analogie, la cabine ne parcourt pas quarante-deux mètres en soixante secondes, mais trente-cinq seulement; C.Q.F.D.

Glass médita un instant sur la démonstration.

– Je persiste à me croire mystifié, fit-il, avec humeur, mais continuez.

Hornbeam, après s'être à nouveau plongé dans ses calculs, se souvint qu'ils avaient un témoin. Pluckley se tenait près du bureau dans une attitude respectueuse; son visage arborait une expression amusée, mais on ne pouvait savoir si cette gaieté railleuse n'était pas voulue, car cet individu singulier semblait tout calculer.

– N'auriez-vous pas un chronomètre, par hasard?

Pluckley eut un imperceptible tressaillement.

– Si, il y en a un au sous-sol; voulez-vous que j'aille le chercher?

– Oui, rapportez-le le plus vite possible. Ne prenez pas cet ascenseur, nous allons nous en servir, le Dr Glass et moi, pour aller voir miss Lake. Venez nous retrouver dans son bureau, nous tenterons ensuite quelques expériences.

Lorsque Pluckley eut disparu, Hornbeam se tourna vers le Dr Glass.

– Que dites-vous de cet individu? fit-il.

– Il est atteint de la folie de la persécution, répliqua le médecin. A peine a-t-on parlé d'arrestation que Pluckley en a conclu qu'il s'agissait de lui. Mais je peux vous certifier autre chose : il vient de se faire une pinte de bon sang à vos dépens.

– Comment cela? fit Hornbeam.

– Je ne sais pas. Un de vos propos l'a diverti au-delà de toute expression. Mais j'ai beau chercher, je ne parviens pas à deviner ce qui l'a tant amusé.

– Le croyez-vous dangereux?

– N... non, fit Glass qui répugnait toujours à admettre une telle supposition. Mais je vous parie que si on pouvait pénétrer dans le tréfonds de son âme, le gaillard en sait autant, sinon plus que les autres, sur sir Ernest Tallant et Mr Stephen Corinth.

– Nous l'interrogerons plus tard; pour le moment nous avons autre chose à faire.

Il reprit ses calculs.

– Savez-vous que notre portier Hastings a été parfaitement exact dans son estimation; j'ai vérifié le temps qui s'écoule entre l'apparition du bord inférieur de la cabine à travers le panneau vitré et son arrêt à l'étage : il est tombé juste, presque à la seconde près, en comptant.

» Supposons, partant de là, ses autres estimations correctes (au moins approximativement). Vous vous souvenez que Hastings a compté quinze secondes entre la détonation et le moment où il a aperçu le bas de la cabine?

– Oui.

– L'ascenseur franchit trente-cinq mètres en soixante secondes, soit 7 mètres en douze secondes. Il met par conséquent trois cinquièmes de seconde à parcourir trente-cinq centimètres...

Hornbeam tira de sa poche une mesure à ruban et passa dans la cabine où il fit de minutieuses vérifications.

– C'est bien exact, dit-il, après avoir mesuré une dernière fois la distance du sol au sommet du panneau vitré de la porte. Lorsque le bord de la cabine est en vue celle-ci se trouve, *grosso modo,* à deux mètres de son point d'arrêt. Si l'ascenseur parcourt trente-cinq centimètres en trois cinquièmes de seconde, en quinze secondes il aura parcouru un peu plus de huit mètres cinquante; la cabine elle-même a deux mètres soixante de haut. Nous avons donc deux mètres soixante – distance du sommet du panneau vitré au sol –, plus huit mètres – distance parcourue entre la détonation et le moment où Hastings a aperçu le bord de la cabine –, plus deux mètres soixante – hauteur de la cabine –, égal à treize mètres vingt. Au moment du coup de feu, le toit de la cabine se trouvait approximativement à une hauteur de treize mètres vingt dans la cage d'ascenseur. (Il ferma son carnet.) Comprenez-vous, Horry ? Si ce calcul est exact, le toit vitré de la cabine, à travers lequel on a tiré, se serait trouvé exactement aux pieds d'une personne debout au second étage, l'étage consacré aux « magazines et revues » de Mr Grey Haviland.

Il y eut un silence.

– Voilà donc votre méthode ? dit Glass. Vous tracez un cercle mathématique et vous y enfermez Haviland.

– Non, non ! Cette solution basée sur des ragots divers n'est pas nécessairement exacte, tout doit être vérifié, à une fraction de seconde près. Mais elle ne doit pas s'écarter beaucoup de la vérité et me semble éminemment suggestive. Qu'en pensez-vous ?

– Je ne sais pas. Les preuves fournies par des chiffres m'inspirent toujours une méfiance instinctive. Nous savons pourtant que Haviland se trouvait devant la porte de l'ascenseur au moment du coup de feu, la cabine a passé devant lui, et on a entendu un éclat de rire. La question est de savoir comment la porte a pu s'ouvrir... Trouvez le moyen dont Haviland aurait pu se servir pour ouvrir la porte hermétiquement fermée et vous le tenez.

– Pas si vite ! dit Hornbeam. Il est encore trop tôt pour se faire une opinion, mais je me propose d'avoir un entretien avec Mr Haviland dès que j'aurai vérifié ces chiffres, si la chose est possible.

– Et le mobile de Haviland ?

– Nous nous en inquiéterons plus tard. Occupons-nous d'abord des actes. D'après miss Wicks, Haviland, debout sur une chaise, « redressait un tableau » au moment de la détonation. Que faisait-il là ?

– Il cachait une bouteille de whisky, dit Glass vivement.

– Vous dites ?

– Il cachait une bouteille de whisky, répéta le médecin. Essayez donc de mordre un peu à la psychologie, Dave, la psychologie de tous les jours, celle qui a dû dicter à Haviland le plus innocent et le plus naturel des gestes. Vous vous souvenez que le vieux Tallant est descendu une première fois à l'improviste espérant confondre Haviland dont il connaissait le penchant secret ? Mais il n'a pas trouvé la bouteille dans l'ingénieuse cachette. Rappelez-vous aussi que dès l'entrée de miss Wicks, Haviland s'est mis à sucer des pastilles de menthe... Dommage que vous ne fassiez aucun effort pour comprendre les faits, Dave ! Et maintenant allons voir miss Lake.

C'était la première fois que Glass pénétrait dans cet étage supérieur que Lester avait comparé à une cathédrale. A la vérité, ce mot en évoquait parfaitement l'atmosphère. On sentait peut-être dans le décor une vague influence de cinéma – influence dont se fût certainement défendu sir Ernest Tallant – si les vitraux peints des fenêtres n'étaient pas du goût le plus sûr. Après la sécheresse moderne des autres étages, la douceur de cette ambiance procurait un bienfaisant apaisement.

Une salle d'attente de proportions beaucoup plus vastes que celles des autres étages régnait sur la presque totalité de la façade du temple et, de même que l'ascenseur privé, les deux ascenseurs principaux y débouchaient. La pièce, lambrissée de chêne, était garnie de hautes bibliothèques, les unes ouvertes, les autres fermées par un léger grillage; dans la pénombre voulue, une tache de lumière indiquait le bureau de la réception placé à une certaine distance de l'ascenseur privé, auquel il tournait le dos, et entre les deux autres ascenseurs. Une femme âgée, d'aspect effacé, mais très aimable, assise à ce bureau, parlait au sergent Biggs, un des collaborateurs de Hornbeam.

Le sergent se précipita dès qu'il vit son chef, suivi du Dr Glass, sortir de l'ascenseur privé.

– Je viens de recueillir la déposition de Mrs Tailleur, dit-il en indiquant l'employée assise devant le bureau. Ce témoignage clôt la série des personnes que je devais interroger.

– Avez-vous recueilli un renseignement intéressant de Mrs Tailleur au sujet de ce qui m'intéressait ? fit Hornbeam.

– Vous voulez parler de la possibilité d'avoir placé une arme manœuvrée automatiquement dans la cage d'ascenseur ? demanda le sergent.

Le Dr Glass eut un haut-le-corps et se retourna, furieux, vers Hornbeam.

– Animal ! Vous vous êtes payé ma tête ! Vous m'avez laissé marcher sans souffler mot !

– Ne vous fâchez pas, il faut bien que j'envisage toutes les éventualités, c'est mon métier. L'idée m'était venue aussi... Quel renseignement m'apportez-vous à ce sujet, Biggs ?

– Une conclusion entièrement négative, monsieur : voici la déposition du témoin.

Le sergent ouvrit son calepin et lut rapidement dans une sorte de murmure incompréhensible pour ceux qui n'étaient pas tout proches.

– « Personne ne touche à l'ascenseur privé, à part Mr Pluckley; ce dernier est monté ici ce matin, un peu après 11 heures, au moment précis où miss Patricia sortait du bureau de sir Ernest, tandis que Mr Lester y entrait. Miss Patricia a obligé Mr Pluckley à la faire descendre en ascenseur; il est remonté aussitôt après et a bavardé avec moi pendant quelques minutes, puis il est monté dans la chambre du moteur pour le vérifier – cette chambre se trouve dans le toit –, a coupé le courant électrique et fait descendre la cabine à l'aide du treuil à bras, de façon que son plafond arrive un peu en dessous de la porte placée derrière moi : muni de sa torche électrique, il est monté sur une chaise et a grimpé sur le toit de la cabine qu'il a inspecté soigneusement. Il n'est pas resté plus d'une ou deux secondes sur ce toit où il n'a rien fait d'autre que diriger la lumière de sa torche dans la cage d'ascenseur où tout était parfaitement en ordre.

» Mr Pluckley est ensuite retourné dans la chambre du moteur, a fait remonter la cabine et a rétabli le courant. En redescendant, il s'est arrêté à nouveau près de moi et nous parlions lorsque j'ai remarqué que le volume du *Spectator* n'était plus à sa place dans la bibliothèque à côté de l'ascenseur. Nous avons été tous deux terrifiés à la pensée que sir Ernest pourrait supposer que nous l'avions dérobé. Je me rendais chez sir Ernest pour le prévenir lorsque le patron a ouvert la porte. Il était accompagné de Mr Lester et de miss Lake. »

Du reste, le sergent Biggs désigna de l'autre côté de la pièce une porte qui correspondait à peu près à celle du bureau de Lester à l'étage en dessous. Puis il reprit sa lecture :

– « Sir Ernest a paru bouleversé par ce vol, puis la porte s'est refermée brusquement et Mr Lester est redescendu à son bureau. Sir Ernest ne m'a pas interrogée davantage sur le livre, il a demandé à Mr Pluckley s'il avait terminé la vérification de l'ascenseur; celui-ci lui répondit par l'affirmative.

Le patron a continué à parler pendant quelques minutes avec miss Lake; je n'ai pas pu suivre leur conversation, mais celle-ci m'a paru très animée. Puis sir Ernest a pris l'ascenseur pour descendre – il était environ midi moins 20. Il est revenu à midi juste et m'a prévenue qu'il irait bientôt déjeuner. A midi et quart, sir Ernest et miss Lake sont sortis ensemble, en bavardant, des bureaux de la direction. »

Hornbeam fronça le sourcil.

– Mrs Tailleur a-t-elle vu sir Ernest entrer dans l'ascenseur la dernière fois?

– Non, monsieur, car miss Lake, dès son arrivée avec sir Ernest dans la salle d'attente, a envoyé Mrs Tailleur chercher un catalogue à l'autre extrémité de l'immeuble. Lorsque cette dernière est revenue, miss Lake avait regagné son bureau. Quant à l'ascenseur, il descendait déjà.

– Vous n'avez pas interrogé miss Lake?

– Non, monsieur, vous m'aviez dit...

Un filet de lumière brilla soudain dans la pénombre. La porte des bureaux de la direction s'ouvrit et, par un phénomène d'acoustique imprévu, deux voix de femmes leur parvinrent distinctement, bien que leur ton fût mesuré. La première disait :

– Voici la porte. Je n'ai rien à ajouter si ce n'est que Mr Lester ne vous a pas dit la vérité. Voulez-vous que nous en restions là?

– Non, s'emporta l'autre femme.

Il y eut un bref silence, puis le claquement sonore d'une gifle envoyée en plein visage.

IX

Glass imagina aussitôt le spectacle qui l'attendait et se précipita à la suite de l'inspecteur vers les bureaux de la direction.

Patricia Tallant, le dos tourné, faisait face à Helen Lake qui tenait toujours la poignée de la porte et semblait médusée.

De taille moyenne, miss Lake devait à sa carrure, à son port de Junon et à son immobilité de statue l'illusion de paraître grande; elle ne donnait pas, néanmoins, une impression de force physique. A première vue, cette jeune femme éveilla chez Glass le souvenir de ces poupées qui trônent parmi des coussins sur un divan; son visage d'une beauté fade et sans expression semblait, ainsi que son corps, comme élargi et durci à force de volonté. Ses cheveux d'un blond doré, coupés à la hollandaise, s'avançaient en pointe sur ses joues en feu. Et, bien qu'elle fût complètement immobile, ils pouvaient entendre sa respiration haletante.

Patricia Tallant se retourna. Contrairement à Helen Lake, elle était très pâle et en proie à une émotion intense qui semblait irradier de sa mince personne.

– Oui, je l'ai giflée et je vais recommencer! dit-elle en levant la main.

Glass saisit le poignet fragile et le maintint avec fermeté. Malgré son horreur des batailles entre femmes il était bien décidé à intervenir dans celle-ci.

– Miss Helen Lake, sans doute? demanda l'inspecteur, très calme.

– Vous désirez?

Elle avait tourné vers lui un regard sans curiosité. On entendait toujours sa respiration précipitée, mais l'afflux de sang disparaissait de son visage.

– Je suis le policier chargé de l'enquête, miss Lake. Pouvez-vous m'accorder un entretien ?

– Naturellement.

– Lâchez-moi ! dit Patricia entre ses dents au médecin qui la maintenait toujours.

Hornbeam se retourna.

– Miss Tallant, je croyais vous avoir dit de rester en bas... Vous auriez dû empêcher cela, Biggs.

– Ce n'est pas sa faute, dit vivement Patricia. Je suis montée ici par l'échelle d'incendie. Pourquoi me défend-on d'agir quand mon oncle est... oh ! vous savez ce que je veux dire.

Miss Lake regarda la jeune fille sans prononcer un mot.

– Voulez-vous reconduire miss Tallant au rez-de-chaussée, docteur ? dit Hornbeam. (Son regard éloquent semblait ajouter : « Calmez-la si vous pouvez. ») Vous viendrez ensuite me retrouver ici. Je suis à vous, miss Lake.

Il entra dans le bureau à la suite de la secrétaire. Patricia resta un instant immobile, en contemplation devant cette porte fermée. Puis, singeant l'attitude de son ennemie, elle dit en imitant drôlement son accent et sa politesse affectée :

– Je vous l'assure, ma chère... vous ne sauriez l'imaginer... c'est vraiment très, *très* embarrassant pour moi... (Elle haussa les épaules.)

– L'espèce de toupie ! La garce !

– Allons, allons !

– La garce ! reprit Patricia avec violence. Quant à votre ami Hornbeam, il a des manières de dentiste. « Je suis à vous, miss Lake, nous allons arracher cette petite dent sans douleur... » Quel chameau !

Le Dr Glass, qui n'avait pas lâché la jeune fille, l'entraîna loin de Mrs Tailleur et du sergent également consternés, et la fit asseoir de force dans un fauteuil de cuir, à l'autre extrémité de la pièce. Malgré la colère qui flamblait dans son regard et durcissait ses traits, Patricia, dans l'éclat radieux de sa jeunesse, était ravissante. Glass se préparait à la chapitrer. Il comptait se répandre en explications prolixes et analyser son état mental. En fin de compte, il dit simplement :

– Vous n'avez pas honte? Pourquoi lui avez-vous flanqué une gifle?

– Je n'ai pas honte du tout, et j'avais confiance en vous, j'imaginais que vous aviez pris mon parti.

– Mais vous ne vous êtes pas trompée.

– Oh! si. Vous êtes du côté de la police.

– Existe-t-il donc une raison pour que ces deux partis ne se confondent pas?

– Oui, et vous le savez très bien. Votre Hornbeam serait capable d'arrêter son propre oncle s'il le soupçonnait d'avoir commis une faute.

– Son oncle est chanoine. En outre la loi est formelle, il ne fait que lui obéir.

– Vous seriez incapable d'agir ainsi et vous le savez fort bien!

Un soupçon aigu traversa l'esprit de Glass devant les beaux yeux qui s'efforçaient manifestement de paraître innocents.

– Est-ce que vous tenteriez de me séduire, par hasard?

Elle trépigna de rage.

– Pas du tout, bien que ce ne soit sûrement pas difficile pour qui voudrait s'en donner la peine. Mais, que vous l'admettiez ou non, il est tout différent d'être du côté des simples mortels... ou de faire le jeu de la police.

– Laissons ce sujet, dit Glass avec dignité. Je vous demande encore une fois pourquoi vous avez giflé miss Lake?

Patricia réfléchit un instant.

– C'est le résultat de griefs accumulés... D'abord, elle a prétendu que Bill avait menti.

– Oui, j'ai entendu; mais à quel propos?

– A propos de l'endroit où il se trouvait au moment de... au moment où le drame est arrivé. Cela m'est parfaitement égal que Bill mente à Helen, mais pourquoi ne m'aurait-il pas dit la vérité? si vérité, il y a, ce dont je doute. Je suis montée chez Helen par l'échelle d'incendie.

– Pourquoi?

– La police ne peut pas nous boucler éternellement dans des compartiments séparés! Nous sommes près de cent cinquante ici et depuis ce matin nous n'avons rien eu à nous mettre sous la dent! je me sentais affreusement déprimée, effrayée même, et je voulais savoir comment Helen Lake supportait la catastrophe. Profitant d'un instant où le policeman avait le dos tourné, j'ai couru à l'escalier et, arrivée au premier palier, j'ai pris l'échelle d'incendie et je suis entrée dans un des bureaux de mon oncle où se trouvait précisément Helen. Elle n'a pas sourcillé et s'est contentée de dire : « Mr Lester et vous semblez avoir tous deux un goût spécial pour les échelles d'incendie! »

– Pourquoi a-t-elle dit cela?

– Elle prétend avoir aperçu Bill qui montait sur le toit par cette même échelle immédiatement avant le coup de feu qui a tué mon oncle. Elle l'aurait vu à travers la fenêtre.

Patricia regarda le médecin.

Les mains derrière le dos, le Dr Glass serra les poings. Cette révélation l'inquiétait plus qu'il n'aurait voulu se l'avouer : ne venait-elle pas à l'appui d'une hypothèse que tout son être se refusait à formuler? Il essaya d'afficher un air de sérénité, car Patricia l'observait avec attention.

– Sur le toit?

– Oui. Vous vous souvenez que Lester nous a dit qu'il s'était rendu aux lavabos du cinquième pour baigner sa main malade. Or, l'échelle d'incendie passe devant ces lavabos, c'est-à-dire du même côté que le bureau de Bill, un peu plus près de la façade; je l'ai remarqué tout à l'heure.

– Eh bien? Pourquoi ne serait-il pas monté là-haut si l'échelle passe devant la fenêtre? Il avait peut-être besoin de respirer un peu.

– En effet, il n'y a aucun mal à cela, mais alors, pourquoi ne pas me l'avoir dit?

Glass feignit d'ignorer la question.

– Je voudrais savoir ce que miss Lake a pu dire pour vous irriter à ce point? demanda-t-il.

– Je viens de vous le raconter.

– Non, la cause véritable d'une dispute n'est jamais ce qui lui sert de prétexte, elle est beaucoup plus profonde et il faut la chercher plus loin. Vous avez même une certaine répugnance à l'évoquer, ce qui prouve son importance. De quoi s'agit-il?

– Vous ne le saurez pas, riposta Patricia. C'est trop absurde, trop ridicule! Oh! cette mégère! cette abominable mégère!

– Comme il vous plaira, dit Glass avec bonne humeur. Je devais vous conduire au rez-de-chaussée, il est temps que nous descendions.

Tout en marchant, Patricia se tourna vers lui et lui dit avec une inconséquence bien féminine :

– Question pour question, docteur, vous devez me répondre : ai-je vu juste et vous êtes-vous rendu compte que personne n'aurait pu entrer dans l'ascenseur pour tirer le coup de revolver?

– Hum!

– Je vous en prie!

– Il s'agit sans aucun doute d'un truc très simple, si diaboliquement simple que nous ne pouvons pas le voir. Vous ai-je raconté l'affaire de la chaise longue?

– Non et vous le savez fort bien; nous n'avons fait connaissance que ce matin.

– Un homme avait été poignardé sur la plage, on ne trouvait pas l'arme du crime et il semblait cependant matériellement impossible qu'elle eût été enlevée. Le meurtrier l'avait cachée dans le bras d'une des chaises longues disposées pour les baigneurs. Or, l'employé de service avait replié et emporté les chaises sous nos yeux sans éveiller nos soupçons. Le meurtrier était, bien entendu, l'employé, et c'est moi qui eus la chance de découvrir son stratagème, ajouta Glass poussé par l'inexplicable besoin de plastronner. Hornbeam me doit d'avoir fait une arrestation sensationnelle.

– Je ne vois pas le rapport...

– C'est un exemple : on a commis sous nos yeux une action que nous n'arrivons pas à comprendre. Nous avons cherché en vain, mais je me demande...

Il n'avait pas encore résolu la question en regagnant l'étage supérieur après avoir quitté la jeune révoltée. D'innombrables hypothèses tourbillonnaient en tempête sous son crâne sans qu'il arrivât à les isoler pour les classer de manière constructive.

Pluckley était revenu dans la « cathédrale » où se trouvaient toujours le sergent Biggs et Mrs Tailleur. A l'instant où Glass sortait de l'ascenseur, Hornbeam parut à l'entrée du bureau de sir Ernest et fit signe au sergent de venir lui parler.

– L'interrogatoire de miss Lake va durer plus longtemps que je ne le prévoyais et on ne peut garder indéfiniment tout le monde ici. Je voulais tenter une expérience dans l'ascenseur, mais nous la remettrons à plus tard. Vous allez monter avec Pluckley, le chef mécanicien, jusqu'à la chambre du moteur, sur le toit, et vous vous ferez expliquer le fonctionnement du mécanisme de façon à pouvoir le manœuvrer seul. Vous descendrez ensuite au bureau de Haviland et...

Le reste se perdit dans un murmure indistinct, puis l'inspecteur fit signe à Glass de venir le rejoindre.

Helen Lake était assise, dans une pièce d'inspiration gothique, derrière une large table-bureau sur laquelle des porte-plume et un encrier, dont on ne se servait jamais, étaient disposés avec ordre. Les rideaux baissés cachaient les fenêtres et une douce lumière tombant d'une gargouille faussement moyenâgeuse accrochait des reflets d'or dans sa chevelure.

Hornbeam invita Glass à s'asseoir.

– Nous continuons, miss Lake, dit-il.

– Je suis toute disposée à vous consacrer le temps nécessaire, dit-elle. Mais je vous ai déjà répété au moins deux fois les moindres détails des événements de la matinée : les entretiens de sir Ernest avec miss Tallant et Mr Lester, et le malheureux courant d'air provenant de cette fenêtre... (Elle la montra du geste)... qui a refermé la porte; la visite de sir Ernest à Mr Haviland, au deuxième étage, son retour ici à midi et enfin son... départ.

Cet euphémisme pour désigner la mort accentuait l'effet produit. Peut-être l'avait-elle intentionnellement employé. Chacun des gestes de Helen Lake révélait la femme d'affaires. Elle avait une façon particulière de placer ses mains, les coudes sur la table, d'entrelacer les doigts sans cesser de se tenir le buste droit pour ne pas perdre un pouce de sa taille. Son beau visage, un peu empâté, était tourné vers eux. Elle les regardait sans sourciller.

– A propos de ce « départ », miss Lake, sir Ernest était invité à déjeuner à midi et demi; avec qui avait-il rendez-vous?

– Avec sir John Minsterstoke, le chef de cabinet du ministre de l'Instruction publique. Ils devaient parler de notre collection de classiques qui est en usage dans toutes les écoles primaires du pays.

– Ce rendez-vous avait-il été pris longtemps d'avance?

– Non, sir John Minsterstoke n'a téléphoné que ce matin vers 10 h 30, en s'excusant de prévenir sir Ernest au dernier moment et de l'inviter à déjeuner d'aussi bonne heure, mais la question qu'il avait à lui soumettre ne souffrait pas de retard.

– On ne savait donc pas, en général, l'heure à laquelle il irait déjeuner?

– A part sir Ernest et moi-même, tout le monde l'ignorait.

Hornbeam tourna la page de son carnet.

– Autre chose, miss Lake : sir Ernest, lorsqu'il est remonté ici à midi après avoir vu Mr Haviland, vous a annoncé qu'il avait convoqué tous les chefs de service pour 3 heures de l'après-midi et il s'est félicité d'avoir enfin découvert l'auteur des nombreux vols qui avaient instauré ici un véritable « régime de terreur ».

– Un régime de terreur! fit Helen Lake avec un rire bref. En effet!

– Pourquoi cette réflexion?

– Vous avez vu comment il s'est terminé.

– J'aimerais que vous me donniez votre impression personnelle sur cette « terreur ».

– A vrai dire, elle ne me troublait pas beaucoup. Mais je n'aimais pas voir sir Ernest bouleversé par ces événements.

– Naturellement, naturellement. Vous lui étiez sans doute très... attachée?

– C'était un homme de grande valeur, dit simplement Helen Lake.

Une certaine émotion s'était emparée d'elle et sur ses joues rondes, qu'une rougeur animait, les pointes de ses cheveux tremblaient légèrement.

Glass crut deviner sous ce masque un sentiment sincère, une tendresse réelle dont elle se défendait. Helen Lake semblait être la seule personne du temple véritablement affligée par la mort de Tallant.

– Cette sorte de persécution était-elle, à votre avis, dirigée contre sir Ernest?

– Naturellement, fit-elle, surprise.

– Par quelqu'un qui ne l'aimait pas?

– Par quelqu'un qui le connaissait très bien et qui savait le toucher aux points sensibles.

– Sir Ernest vous avait annoncé à midi que le voleur était Mr Grey Haviland, mais vous vous étiez refusée à le croire?

Sans remuer un muscle, miss Lake donna l'impression de hausser les épaules.

– Je l'avais prié de ne pas trop se presser, dit-elle sèchement.

– C'est bien ce que je voulais dire. Vous ne croyiez pas à cette culpabilité. Pourquoi?

– Mr Haviland ne m'a jamais paru capable d'une chose si odieuse. Je n'ai pas beaucoup de sympathie pour lui et il ne l'ignore pas, mais sa malice, sa méchanceté même, ne s'exerce qu'en paroles et il fait parfois des efforts touchants pour établir une atmosphère de cordialité entre nous. Sir Ernest a mis ces vols sur le dos de Mr Haviland uniquement parce qu'il a découvert l'avion brisé, enveloppé dans un journal, dans un placard de son bureau... Sir Ernest prenait parfois des décisions hâtives qu'il regrettait ensuite.

– Je croyais au contraire qu'il avait la réputation de ne jamais revenir sur une décision.

– Sir Ernest était artiste dans l'âme.

– Ah!... (Cette réponse dut provoquer un enchaînement d'idées, car l'inspecteur ajouta :)... Vous savez sans doute, miss Lake, qu'un de ses cousins germains est mort fou?

Il y eut un silence.

– Puis-je vous demander de qui vous tenez ce renseignement, Mr Hornbeam, demanda Helen Lake.

– De Mr Corinth. Est-il exact?

Elle hésita.

– On a fait courir ce bruit à l'époque, mais je n'y ai jamais ajouté foi. Si vous vous informiez à bonne source, on vous dirait probablement qu'il s'agissait d'une crise d'alcoolisme. Néanmoins... (elle eut une nouvelle hésitation)... j'éprouve certains remords : lorsque Patricia est arrivée ici par l'échelle d'incendie, j'ai eu la sottise de faire allusion à ce fait en lui disant qu'elle était aussi folle que Frank Tallant; le mot « folle », dans ma pensée, signifiait simplement étourdie, imprudente, mais j'étais sous le coup d'une forte tension nerveuse et les mots m'ont échappé. Je dois reconnaître que Patricia les a bien pris et n'a pas semblé s'en offenser.

Hornbeam se pencha brusquement en avant.

– Mais il n'en a pas été de même pour ce que vous lui avez dit de Mr Lester? fit-il. Je le sais. Nous allons terminer cet entretien en reprenant notre reconstitution des faits, là où nous nous sommes arrêtés : entre 12 heures et 12 h 15, sir Ernest est resté dans votre bureau pour bavarder avec vous.

Elle approuva d'un léger signe de tête et dit froidement :

– Il vous attendait, inspecteur, et il espérait vous voir arriver avant son départ pour vous mettre au courant de ce qui s'était passé ici. Or, vous avez préféré ne pas tenir compte de son appel. Et il est mort.

Il y eut un nouveau silence. A la grande surprise de Glass, Hornbeam parut sur le point de jeter son carnet sur la table.

– Dois-je comprendre que vous essayez de me rendre responsable de la mort de sir Ernest ? Dans ma situation, l'accusation prend une gravité exceptionnelle...

« Nous y voilà, pensa le médecin, c'est l'atmosphère du temple qui commence à agir sur ses nerfs. »

– Répondez-moi franchement, miss Lake, est-ce là ce que vous voulez dire ?

– Pas du tout, mais il est facile de jouer les devins une fois l'événement passé.

– Je vous prierai d'achever votre déposition.

– Vers midi et quart, reprit-elle en entrecroisant ses doigts à nouveau, sir Ernest a consulté sa montre et s'est disposé à partir; nous étions déjà sortis de cette pièce lorsque j'ai remarqué qu'il n'emportait pas son parapluie malgré le temps incertain; j'ai insisté pour aller le chercher dans mon bureau, où il l'avait laissé depuis plusieurs jours, et, en y entrant, j'ai aperçu distinctement à travers la fenêtre Mr Lester qui gravissait lentement l'échelle d'incendie.

– Pour aller sur le toit ?

– Cette échelle ne mène nulle part ailleurs.

– Vous a-t-il vue ?

– Je ne crois pas, il tournait la tête.

– Avez-vous parlé à sir Ernest de cet incident ?

Elle eut une hésitation.
– Non, dit-elle enfin.
– Vous en êtes sûre?
– Naturellement, fit-elle en fronçant quelque peu les sourcils. Je ne tenais pas à ce que sir Ernest arrivât en retard à son rendez-vous : il aurait probablement voulu savoir, avant de partir, ce que faisait Mr Lester.
– Oui. Continuez.
– Nous sommes passés ensemble dans la salle d'attente où se trouvait Mrs Tailleur que j'ai envoyée aussitôt chercher un catalogue. Je ne tenais pas, au cas où sir Ernest aurait quelque chose à me dire, à ce que ses paroles soient entendues. Mais il n'avait rien à ajouter et je l'ai mis dans l'ascenseur.
– Vous l'avez *mis* dans l'ascenseur?
– Je l'ai accompagné jusque-là, si vous préférez. Puis je suis retournée dans mon bureau et je n'ai pas à vous apprendre ce qui est arrivé... (Sa voix s'étrangla.) J'ai bien entendu un bruit lointain, mais je n'avais aucune raison de m'inquiéter et je n'ai rien su jusqu'au moment où miss Bates, ma dactylo, est montée m'avertir qu'il était mort... (Les lèvres de miss Lake se mirent à trembler :) Excusez-moi, il m'est impossible de continuer cette conversation.
Elle se leva avec une dignité qui contrastait curieusement avec son visage bouleversé. Et, s'approchant de la fenêtre, elle se tint immobile, le dos tourné, la main accrochée au lourd rideau.
– Je vous remercie, miss Lake, dit Hornbeam. Mais nous avons encore certaines questions à examiner ensemble.
– Pas maintenant, dit le médecin.
– Désolé, Glass, mais mon métier l'exige. Si j'ai

bien compris, miss Lake, vous étiez la plus ancienne collaboratrice de sir Ernest.

– Je vous en conjure, laissez-moi tranquille! hurla la femme en se retournant brusquement.

Le fameux courant d'air existait bien, après tout, car il gonfla tout à coup les rideaux et fit voltiger un journal placé sur une petite table.

– Je vous demande pardon, fit Hornbeam, j'ai parfois la main un peu lourde... Ces questions peuvent attendre et vous êtes libre de rentrer chez vous immédiatement si vous le désirez. Au revoir, miss Lake.

Glass ouvrit la porte pour le laisser passer. Ils revinrent dans la salle d'attente et faillirent se heurter au sergent Biggs qui arrivait en courant.

– Eh bien? fit l'inspecteur.

– J'ai inspecté avec soin cet appentis sur le toit, monsieur. Le treuil à bras est facile à manœuvrer, je vous montrerai, mais il faut faire attention, car il n'y a pas beaucoup d'espace et un tas d'objets encombrants : d'abord un tableau couvert de commutateurs, deux leviers, trois aspirateurs...

– Des aspirateurs? Pour quoi faire?

– Ils n'ont rien à voir avec l'ascenseur, mais ils sont branchés sur le courant électrique; on s'en sert, paraît-il, pour le grand nettoyage du printemps. Mais ce n'est pas cela que je voulais vous dire.

Le Dr Glass n'écoutait plus. Ce qu'il venait d'entendre confirmait une hypothèse envisagée depuis un certain temps et à laquelle son esprit ne s'arrêtait pas sans horreur.

– L'aspirateur! s'écria-t-il en interrompant sans y prendre garde le flot de paroles du sergent. Je n'avais pas songé à un aspirateur!

– Voyons! dit Hornbeam, ne parlez pas tous les deux à la fois. Que disiez-vous, Sergent?

– Je parlais de Mr Haviland... Il est parti, monsieur !

X

La douce nuit de printemps n'exerçait pas son charme, ce soir-là, sur le Dr Horatio Glass qui arpentait son balcon avec une évidente nervosité. Soudain, il s'immobilisa et contempla un instant la tache sombre de St. James Park.

– Non ! dit-il à haute voix.

Puis il fit demi-tour et regagna son bureau.

C'était une pièce arrangée selon ses goûts. Une quantité incroyable de livres – ouvrages de criminologie ou romans policiers pour la plupart – garnissaient les rayonnages. Sur la table-bureau, un énorme microscope de cuivre rappelait au médecin sa jeunesse d'étudiant; il ne l'avait jamais utilisé depuis, mais ne voulait pas s'en séparer. Le microscope voisinait avec une lampe à abat-jour vert, d'aspect démodé, dont la lumière éclairait un papier où il avait inscrit avec ordre, sous forme de tableau, le résultat des recherches de la journée.

Le tic tac de l'horloge mesurait inexorablement la fuite du temps : déjà 9 h 25. Après un bon dîner, le Dr Glass aurait dû se laisser gagner par une douce somnolence, mais chaque fois qu'il levait les yeux sur le cadran sa nervosité s'accentuait. Il attendait depuis dix bonnes minutes Patricia Tallant et Bill Lester et, si leur retard se prolongeait, ils se rencontreraient fatalement avec Hornbeam qui devait venir vers 10 heures. Or, ce qu'il avait à leur dire n'était pas fait pour les oreilles de l'inspecteur en chef.

Il relut ses notes, mises à jour depuis son retour du temple, sans y découvrir rien de particulièrement intéressant. Puis il alluma une cigarette et se plongea une fois de plus dans ses réflexions.

Certains éléments lui manquaient encore pour se faire une opinion sur le personnel de la maison d'édition. En quittant l'édifice, Hornbeam avait échangé quelques mots avec Stephen Corinth et Glass s'était vaguement rappelé avoir déjà aperçu ce personnage. Bien qu'il ne lui fût guère sympathique, Corinth l'intéressait. Angus Mac Andrew, le directeur commercial, avait fait pas mal d'embarras avant leur départ, mais Glass se sentait enclin à l'éliminer de la liste des suspects. Mac Andrew correpondait au type d'individu que l'on trouve dans toutes les administrations; le supposer capable d'un crime – ou de n'importe quelle passion violente sauf celles qui s'exprimaient uniquement en paroles – semblait non seulement impossible, mais ridicule. Il était le seul de toute la maison à pouvoir tenir tête à sir Ernest Tallant sans risquer un renvoi. Comme la plupart des directeurs commerciaux, il semblait vivre dans un monde à part et respirer un autre air que celui du temple. Cette particularité, jointe au fait qu'il avait un alibi indiscutable – il chapitrait à l'heure du crime un groupe de dactylos au premier étage –, avait amené Hornbeam lui-même à convenir qu'on pouvait l'éliminer à coup sûr.

Tout ceci n'avait qu'une importance minime en regard de l'épouvantable tapage provoqué par la disparition de Haviland, disparition qui n'avait, cependant, rien de mystérieux. Glass avait tout d'abord redouté un nouveau crime, mais les faits s'étaient révélés assez faciles à élucider.

A 5 h 30 de l'après-midi, quelques minutes avant l'arrivée du sergent Biggs dans son bureau, Haviland avait annoncé son intention de partir à sa secrétaire, miss Horlick, en lui faisant remarquer que c'était l'heure d'ouverture des bars. Après avoir pris l'ascenseur sans chercher à se dissimuler, il avait, au moyen d'un bluff réussi, fait croire aux deux agents en faction dans le hall et à la porte d'entrée qu'il était médecin et appelé d'urgence au chevet d'un malade. Il avait traversé rapidement St. Martin's Lane et, aux dernières nouvelles, on l'avait vu entrer dans un bar de Chandos Street.

– Nous le retrouverons, avait grommelé Hornbeam, et je lui apprendrai de quel bois je me chauffe !

Un meurtrier aurait-il agi de façon à attirer aussi ouvertement les soupçons ? Cela semblait assez invraisemblable... à moins qu'il n'ait usé du même genre de bluff. C'était là une des difficultés contre lesquelles Glass se heurtait à chaque pas : les choses semblaient – de même que les contrepoids de l'ascenseur – trop bien ajustées. Chaque fois qu'on faisait une supposition, la contrepartie offrait aussitôt la même apparence de vraisemblance.

Dans son agitation, le Dr Glass se mit à faire les cent pas dans la pièce. Quels autres points avaient-ils encore mis en lumière avant de quitter le temple ? Plusieurs personnes étaient pourvues d'alibis, comme Angus Mac Andrew. Vincent Pluckley ne se trouvait pas dans la maison à l'heure du crime; Glass l'avait deviné d'après son changement de costume, il était sorti pour aller commander trois nouveaux radiateurs dans une boutique de la City. Angèle Wicks, à la même heure, parlait à la secrétaire de Haviland devant sa porte – et ce en présence d'un garçon de bureau. George Patrick O'Reilly avait également un alibi : il se trouvait avec le Dr Glass dans la salle d'attente du quatrième étage.

Glass se méfiait toujours des alibis, mais pour ne pas ajouter foi à l'un de ceux-ci il aurait fallu douter d'abord de l'existence de Dieu, du principe monarchique en Grande-Bretagne, des sacro-saints écrits de Sigmund Freud.

Il continuait à tourner dans la chambre en se creusant la tête pour découvrir le suspect... Tâche ardue, car parmi l'essaim turbulent du temple, il n'y avait qu'un coupable. Une seule personne, après avoir joué une série de mauvais tours, avait pressé la détente du calibre 45. Mais les idées, les désirs, les réactions différentes des tempéraments si divers de tous les autres cachaient la vérité et protégeaient le meurtrier.

L'horloge sonna la demie de 9 heures. Aussitôt après, le timbre de la porte d'entrée résonna : Patricia et Bill...

Glass hésita à leur ouvrir. Toute cette histoire lui paraissait si absurde, si fantastique qu'il avait envie de prendre son chapeau et de sortir par une autre issue. Il éprouvait aussi un certain malaise à commettre une sorte de trahison envers Hornbeam. Mais les faits demeuraient et la raison primait tout autre sentiment.

Il jeta sa cigarette et marcha vers la porte. Patricia, plus jolie que jamais sous le grand chapeau de paille qui ombrageait ses yeux moqueurs, le charma : Lester, quant à lui, était toujours aussi naturel et indolent. En les voyant tous les deux dans son bureau, Glass sentit sa résolution faiblir.

– Nous allons rouler nos fauteuils sur le balcon, dit-il gaiement. Il y fait une température délicieuse et cette quasi-obscurité est reposante. Regardez quelle admirable vue on a sur le parc avec les lumières du Mall qui scintillent là-bas dans la nuit... Que prendrez-vous ? Whisky soda ? Gin ?

Lester, qui l'observait, haussa les sourcils.

– Qu'est-ce qui cloche ?

– Mais rien, quelle idée !

Il résolut néanmoins de ne pas attendre trop longtemps pour arriver au fait. De pâles rayons lumineux trouaient l'ombre du balcon, ils faisaient luire parfois le blanc d'un œil, révélaient l'expression d'une bouche, le scintillement d'un verre levé. Trois cigarettes brillèrent et s'éteignirent, trois verres reposés d'un même mouvement firent crisser l'osier des fauteuils; le balcon, au sixième étage, dominait un gouffre planté d'arbres dont les feuillages bruissaient doucement.

– Je vais vous dire tout de suite ce que j'ai sur le cœur, fit le médecin, de crainte que Hornbeam n'arrive avant que j'aie terminé.

– Vous voyez bien que j'avais raison, vous êtes inquiet...

– Non, non. Je désire simplement vous poser quelques questions. Dites-moi la vérité, Bill; êtes-vous vraiment monté sur le toit du temple environ deux minutes avant le coup de revolver qui a tué le patron ?

– Pat n'a cessé de me poser la même question toute la soirée, répondit Lester. Oui, j'y suis monté... (Il vida son verre et se pencha en avant, dans un rais de lumière qui éclaira un regard parfaitement sincère.) Cette question m'a tourmenté aussi, je l'avoue : vous vous demandez pourquoi. La réponse est bien simple : si je n'ai pas mentionné le fait, c'est qu'il m'était sorti de l'esprit. Je l'avais totalement oublié tant il avait, à mon sens, peu d'importance. Je suis resté là-haut dix minutes, pas plus : à peine y étais-je arrivé, qu'une véritable rafale de fumée venant des cheminées s'est abattue sur le toit et m'a enlevé l'envie d'y rester. Vous avez probablement remarqué la température élevée que l'on maintient encore dans la maison... Et voilà toute l'histoire, mon vieux : en m'approchant de la fenêtre du lavabo, j'ai vu l'échelle d'incendie et j'ai eu envie d'aller respirer un peu sur le toit, mais comme il n'y faisait pas bon, je n'y suis pas resté. L'idée ne m'est pas venue de mentionner cette ascension, pas plus qu'il ne me serait venu à l'esprit de dire que j'avais ôté mon veston avant de me baigner la main dans l'eau froide. Mon Dieu, qu'il est aisé de se fourrer dans une situation difficile sans même en avoir conscience !

– Vous voyez ! murmura Patricia. Je vous avais bien dit que tout s'expliquerait.

– Et vous n'avez pas approché de l'appentis où se trouve le moteur de l'ascenseur ? dit Glass.

– Non, je ne me suis même pas avancé sur le toit. Pourquoi cette question ?

Le médecin, dont la gorge s'était serrée, dut faire un effort pour parler.

– Je serai franc : d'après toutes les lois de la raison il n'y a qu'une seule façon – un seul moyen pratique, s'entend – d'expliquer ce crime.

– Et c'est ?

– Que vous ayez, avec la complicité de Patricia, assassiné sir Ernest Tallant.

Le vent agita les feuillages en dessous d'eux.

– Vous plaisantez ! dit Patricia.

– Je plaisante ? clama Glass en levant les bras au ciel. Je plaisante toujours ! On ne prend jamais ce pauvre Horry au sérieux. Il est si facile de se rappeler mes erreurs, qu'on en oublie volontiers mes succès : Jaques et Baker, Pasternach l'étrangleur et bien d'autres que je pourrais citer. Mais l'avertissement ne vient pas trop tôt, et je vous parle en confidence ce soir.

– Assassiné le patron! murmura Lester. Comment?

Le médecin se leva, alla s'appuyer au balcon et revint s'asseoir.

– Je ne crois pas à votre culpabilité; si vous la niez je vous donnerai raison et je recevrai l'affront sans broncher. Mais voici comment le ministère public établirait son réquisitoire :

» Le crime n'a pu être accompli que par deux personnes, l'une sur le toit, l'autre près d'une porte d'ascenseur à un étage quelconque. Vous, Bill, vous étiez sur le toit; vous... (Il désigna la jeune fille :) vous étiez seule dans votre bureau au troisième étage. Deux faits sont admis par tous, *primo* : l'ascenseur ne s'est pas arrêté au cours de la descente; *secundo* : lorsque cet ascenseur est en mouvement il est impossible d'ouvrir les portes. Mais il n'est venu à l'esprit de personne que le second fait n'est pas nécessairement exact; il existe même certaine circonstance où il est faux.

– Quelle circonstance? demanda Lester.

– Lorsque le courant est coupé.

Glass avait encore devant les yeux cette chambre de moteur qu'il avait visitée avec Hornbeam avant de quitter le temple. Il se rappelait les ampoules électriques sous leur armature de fil de fer, l'odeur de graisse chaude, l'énorme cylindre du treuil sur lequel s'enroulait à chaque extrémité un câble d'acier, le moteur enfin. On tournait un commutateur, aussitôt le moteur ronflait, les câbles glissaient comme des serpents d'acier, montaient des ouvertures ménagées dans le sol, à travers lesquelles on apercevait une bande lumineuse, puis passaient sur le bâti supérieur pour venir s'enrouler autour du cylindre. On coupait le courant, le bruit assourdissant cessait aussitôt, et sur le côté de ce même cylindre se trouvait un trou rond dans lequel on insérait une grosse manivelle...

– Et un enfant pourrait la manœuvrer à la main, dit Glass. Les contrepoids sont si bien équilibrés que deux personnes pourraient se tenir dans l'ascenseur sans que l'on s'en aperçoive.

» Voici comment je me représente la scène. Vous, Bill, vous montez sur le toit et pénétrez dans la chambre du moteur en temps utile, sachant exactement à quelle heure sir Ernest doit aller déjeuner : il l'a annoncé devant nous trois. En appliquant votre œil sur l'une des ouvertures du sol où passent les câbles, vous voyez, à travers le ciel vitré, l'intérieur de la cabine brillamment éclairé. Il vous aurait été impossible de tirer un coup de revolver par cette ouverture, mais vous pouviez *voir.*

» Dès que sir Ernest a pénétré dans l'ascenseur, et avant qu'il presse le bouton, vous coupez le courant et vous vous servez du treuil à bras, si facile à manœuvrer, pour faire descendre la cabine.

» Nous savons d'autre part que les portes peuvent s'ouvrir lorsque le courant est coupé. Armée du revolver de Bill, vous guettez, vous, Patricia, le passage de l'ascenseur au troisième étage, mais vous ne pouvez pas tirer directement sur votre oncle : il pourrait s'alarmer à juste titre en vous voyant ouvrir la porte et pousser un cri. Vous attendez donc que la cabine ait presque entièrement passé votre étage, vous ouvrez et vous vous agenouillez pour le viser en pleine poitrine à travers le ciel vitré.

» Quant à nous, pauvres imbéciles! en voyant passer la cabine nous avons cru que le courant était établi; cette certitude s'appuyait également sur le fait que nous entendions un bruit particulier renforcé par l'acoustique de la cage d'ascenseur.

» J'ai cherché pendant toute la journée quel souvenir ce bruit évoquait dans mon esprit : celui d'un aspirateur, parbleu! Or, il y en a trois dans la chambre du moteur. Avant de connaître leur existence j'avais déjà parlé à Dave de ce que j'intitule : la méthode de l'illusion auriculaire. L'œil et l'oreille ont été également trompés. Le coup fait, un des complices ferme la porte de l'ascenseur et cache le revolver, l'autre remet le courant et descend; rien de plus simple! Voilà le genre de plan à la fois ingénieux et sûr auquel vous avez pu avoir recours. Et maintenant je vous ai dit ce que j'avais sur le cœur : ici se termine le réquisitoire du ministère public.

Le Dr Glass poussa un soupir et vida son verre d'un trait. A sa grande surprise, il s'aperçut que ses mains tremblaient.

Il y eut un silence que rompit le brusque éclat de rire de Patricia. Dans cette demi-obscurité, il était difficile de savoir si ce rire était nerveux ou sincère, mais il monta soudain si joyeux, si naturel, si éclatant qu'un locataire voisin parut à la fenêtre.

– Non, s'écria Patricia, c'est vraiment trop drôle! vous êtes encore plus loufoque que je ne l'avais imaginé... mais si mignon!

Loin de se vexer d'une telle atteinte à sa dignité, Glass se sentit soudain allégé d'un grand poids.

– C'est l'aspirateur qui m'enchante! reprit Patricia toujours secouée d'une folle gaieté. Bzz, bzz, bzz, vous voyez d'ici Bill maintenant son aspirateur sur le sol pour que tout le monde l'entende!

Elle pleurait de joie et se pencha soudain pour donner une vigoureuse poignée de main au médecin.

– Parole d'honneur, je n'ai pas joué le rôle que

vous m'attribuez ! dit-elle. (Puis, plus grave :) Et après avoir imaginé ce noir complot vous vouliez néanmoins nous préserver en gardant pour vous notre secret ?

– Je n'ai pas dit cela, répliqua Glass, plein de dignité.

– Bill, s'écria Patricia, je soupçonne le Dr Glass d'être amoureux de moi.

– Vous m'êtes très sympathique, admit le médecin, mais cela n'a rien à voir avec l'affaire et je vous préviens à nouveau qu'il est inutile d'exercer sur moi votre pouvoir de séduction. Enfin, si vous êtes innocente, c'est toujours cela !

Sur ce, tous deux éclatèrent de rire.

– Bill ! s'écria Patricia.

Pendant toute cette scène, Lester n'avait pas dit un mot. Appuyé au balcon, il fixait les ombres mouvantes des arbres. Brusquement il jeta sa cigarette et leur fit face.

– Je ne peux pas me fâcher, dit-il lentement, car je vous sais bien intentionné, mais...

– Bill ! reprit Patricia stupéfaite, ce n'est pas sérieux ?

– Attendez. Je sais parfaitement que le procédé ne tient pas debout et je ne me vois pas brandissant un aspirateur, mais j'entends savoir combien de temps cette tension va durer. Oui ou non, la police me soupçonne-t-elle ?

De sa main malade, il frappa la balustrade et ne put retenir un gémissement.

– Excusez-moi, fit-il avec un rire bref. L'atmosphère du temple a une influence néfaste sur les nerfs, quand on approche de l'âge mûr. Elle ne paraît cependant pas vous avoir affecté, mon vieux Glass : votre sketch était très bien ficelé, mais vous ne prenez pas cette histoire au sérieux, j'espère ?

– Non.

– Et Hornbeam ?
– Hornbeam ? Autant que je le sache, vous êtes tout à fait innocent à ses yeux.
– Parfait ! s'écria Patricia. Et maintenant qu'il n'y a plus de barrière entre nous, mon cher docteur, nous allons, j'espère, célébrer cet heureux événement en buvant à votre santé.
– Mille regrets, je suis obligé de vous mettre à la porte. Vous serez toujours les bienvenus ici, mais Hornbeam va arriver d'un instant à l'autre et je ne veux pas qu'il vous trouve...
Il fut surpris de l'effet produit par cette annonce; Patricia se leva d'un bond et précipita les adieux. Arrivée sur le seuil, elle ne put résister cependant à l'envie de lui décocher un dernier trait.
– En vertu des pouvoirs qui me sont conférés, dit-elle solennellement, je vous nomme grand maître de l'ordre de l'Aspirateur; personne hormis vous ne sera autorisé à en porter l'insigne. J'espère bien vous entendre prochainement me faire des révélations sur le secret de la Grande Pyramide : nous avons grand besoin d'un fantaisiste de votre espèce pour maintenir notre moral au cours de cette terrible épreuve. Néanmoins, au cas où vous découvririez par hasard la vérité, j'espère être la première avertie ?
– Vous emportez ma promesse ! répondit solennellement le Dr Glass.
Les jeunes gens partis, le médecin resta un instant immobile, les yeux fixés sur la porte qu'il venait de refermer sur eux. Puis, après avoir esquissé un audacieux entrechat, il entonna d'une extraordinaire voix de basse un *alleluia* triomphant.
Cette performance accomplie, il fit demi-tour pour regagner son bureau et faillit tomber à la

renverse en apercevant l'inspecteur en chef sur le seuil de la cuisine.

– Bonsoir, dit Hornbeam.

– Bonsoir, Dave.

Ils se mesurèrent un instant du regard sans proférer un mot. Depuis combien de temps Hornbeam était-il là et comment avait-il pu pénétrer dans l'appartement ? Autant de questions d'un intérêt capital que Glass se retint de poser. L'inspecteur, coiffé de son chapeau melon posé en arrière, son imperméable sur le bras, fumait tranquillement sa pipe tout en fixant avec insistance la porte de l'appartement.

– Entrez, dit Glass en l'invitant du geste à le suivre au bureau.

– Merci !

– Vous prendrez bien quelque chose ?

– Oui, volontiers.

Trois verres révélateurs se trouvaient encore sur le buffet. Tout en observant Hornbeam du coin de l'œil, Glass en sortit un quatrième et prépara les whiskys. Les deux hommes, verre en main, se regardèrent à nouveau.

– A votre santé ! dit Glass.

– A la vôtre ! répondit Hornbeam. (Il but deux ou trois gorgées avant de poser le gobelet.) Inutile de mentir, j'ai entendu votre explication.

– Eh bien, fit Glass avec un gloussement amusé, elle n'est pas trop mal, qu'en dites-vous ? Je suis assez fier de cette envolée d'imagination et j'accepte les applaudissements que mon génie mérite. Mais, hélas, j'ai le regret de vous apprendre que je me suis à nouveau trompé.

Hornbeam secoua la tête.

– Non, fit-il. Pour la première fois de ma vie, je pense que vous avez vu juste.

XI

– Attention! ajouta-t-il en voyant Glass faire un bond. Je ne dis pas que votre reconstitution soit rigoureusement exacte dans tous les détails. Mais, dans ses grandes lignes, je ne serais pas surpris qu'elle soit vraie.

– Vous ne croyez tout de même pas à la culpabilité de cette jeune fille?

Hornbeam secoua sa pipe.

– Je ne faisais pas allusion à la personnalité du meurtrier, mais seulement au mode d'exécution du crime. Et je me propose d'avoir une petite conversation avec Mr Grey Haviland avant de me faire une opinion précise. Mais, d'ores et déjà, je peux vous dire que je ne mourrais pas de saisissement si, en fin de compte, ce Lester, qui se trouvait sur le toit au moment du crime...

– Il n'est jamais allé sur le toit...

– C'est lui qui l'affirme, mais laissez-moi finir. Si ce Lester, dis-je, y avait participé de la manière que vous avez décrite, sa complice la plus probable serait la petite Tallant, cela tombe sous le sens. Je ne dis pas qu'ils sont coupables, fit-il en levant la main pour couper court aux protestations de Glass. C'est la méthode qui m'intéresse. J'ai examiné l'ascenseur ce soir et vous aviez raison sur un point : les portes ne s'ouvrent pas quand le contact électrique est établi, par conséquent le courant a été coupé, et l'explication que vous avez fournie est la seule qui s'adapte aux faits. Merci du tuyau!

Le médecin choisit une pipe et tout en la bourrant il dit d'un ton rageur :

– En vérité, cela passe les bornes! Pendant

quinze ans, quinze interminables années, j'ai tenté patiemment de vous faire accepter mes théories. Mais vous refusiez systématiquement d'en tenir compte, vous n'en vouliez à aucun prix, vous accueilliez par des railleries et des insultes les suggestions d'une intelligence plus subtile que la vôtre, même quand on vous faisait toucher du doigt la vérité. Et aujourd'hui où pour la première fois en quinze années j'avoue m'être trompé, vous affirmez que j'ai raison !

– Que voulez-vous, mon pauvre Horry, c'est la vie !

– Encore un de vos clichés habituels. Mais vous voudrez bien m'autoriser à vous prouver que je me suis mis le doigt dans l'œil ?

– Non, car avec votre propension à la rhétorique vous vous tirez trop aisément des situations les plus difficiles.

Les deux hommes se regardèrent un instant sans parler.

– Inutile, mon garçon, dit Hornbeam avec placidité. La méthode est utilisable et vous ne l'ignorez pas, elle vaut la peine d'être mise à l'épreuve, et ce n'est pas parce qu'elle est susceptible d'impliquer votre Patricia Tallant...

– Et Haviland, qu'en faites-vous ?

– Mr Haviland sera retrouvé probablement dès ce soir, j'ai envoyé deux hommes à sa recherche et un troisième l'attend à son appartement de Kensington. Nous aviserons ensuite. Savez-vous qu'une de vos déductions s'est révélée exacte ? Une bouteille de whisky était en effet cachée derrière le tableau dans son bureau et cette trouvaille milite évidemment en sa faveur. Espérons que votre nouvelle idée est aussi juste, sans quoi nous aboutirions à une impasse dont je ne vois pas le moyen de sortir. (L'inspecteur parlait avec une chaleur qui prouvait à quel point l'affaire le tourmentait.) Je suis certain que vous avez vu clair cette fois, Horry. C'est la seule méthode envisageable, aussi vous demanderai-je de venir m'aider à l'essayer...

– A l'essayer ?

– Mais oui, j'ai de multiples expériences à tenter avec cet ascenseur. Biggs et deux autres agents visitent en ce moment la fosse qui se trouve sous la cabine. Voici ce que nous allons faire : vous entrerez dans l'ascenseur au cinquième étage, nous couperons le courant et vous ferons descendre avec le treuil à bras.

Le pauvre docteur passait d'une angoisse à l'autre.

– Sans courant électrique ? fit-il.

– Naturellement.

– Tout beau ! et s'il m'arrive un accident ?

– Quel accident ?

– Je pourrais tomber d'un seul coup jusqu'en bas et me rompre le cou.

– Quelle absurdité ! C'est impossible, vous avez dit vous-même que ces contrepoids...

– Je ne renie pas mes paroles, la question ne s'en pose pas moins.

– Mais il s'agit d'une théorie qui vous est propre, dit Hornbeam, sincèrement surpris. Il est donc tout naturel que vous en fassiez personnellement la démonstration. Votre fameux esprit scientifique aurait-il perdu de sa curiosité ?

– Non, répondit Glass, mais je n'ai jamais entendu dire que sir Isaac Newton eût sauté du dôme de St. Paul pour démontrer la théorie de la gravitation universelle. On doit savoir se modérer en toutes choses et je ne vois pas pourquoi je devrais servir éternellement de cobaye. Vous n'avez pas oublié, j'espère, l'affaire du chapeau empoisonné ? Pour avoir voulu vérifier mon hypothèse, j'ai passé quinze jours à l'hôpital. Il est tout naturel que je m'inquiète de savoir ce qui se passera si le treuil échappe à votre contrôle.

– Il ne peut pas se dérégler.

– Vraiment? L'assassinat aussi semblait impossible, il a pourtant été commis! Pourquoi ne vous serviriez-vous pas d'un policeman? Sa mort ne serait pas une grande perte pour la société.

– Vous êtes le seul dont le poids corresponde à peu près à celui de sir Ernest. Tous les autres sont trop lourds. Il faut que les conditions soient identiques. Je me suis procuré un revolver de 45 et une boîte de cartouches à blanc...

– De mieux en mieux, vous allez ouvrir les portes et me tirer des cartouches à blanc en pleine figure. Halte-là! Dave, je n'entends pas m'exposer à recevoir des grains de poudre, sans parler de la bourre qui...

– Prenez votre chapeau et suivez-moi, dit Hornbeam.

Pour la première fois de sa vie, le Dr Glass avait cessé de parler avant d'être interrompu. Si Hornbeam avait été moins absorbé, il aurait remarqué l'éclat singulier de son regard et compris ce qu'il signifiait. Comme en un rêve, le médecin descendit avec l'inspecteur et monta dans sa voiture. Ils roulaient déjà dans Whitehall lorsque Glass s'aperçut que son compagnon lui parlait.

– Excusez-moi, je n'ai pas entendu ce que vous avez dit.

– Je parlais du mobile, le sujet doit vous intéresser, vous qui n'avez que ce mot à la bouche. Pourquoi un membre du personnel aurait-il voulu se débarrasser de sir Ernest? Il n'était pas un si mauvais patron; il était un peu exigeant, mais c'est le propre des hommes d'affaires qui réussissent. Mon commissaire est cent fois pire, et néanmoins personne ne songe à tuer ce pauvre vieil Hamburger. J'ai essayé de relever des faits précis contre sir Ernest Tallant sans y réussir. Le seul grief un peu sérieux à retenir contre lui est son désir de faire une plus large place à l'amour dans ses romans. En admettant que, du premier au dernier, tout le monde soit plus ou moins loufoque dans le monde de l'édition, vous ne me ferez pas croire qu'on irait tuer le patron pour un motif de cette nature!

– C'était un symptôme.

– De quoi? Voilà ce que je voudrais savoir. En outre je ne vois pas ce qu'il y a de mal à s'intéresser à l'amour. C'est encore ce qu'il y a de meilleur sur la terre.

– Sir Ernest Tallant, tu es vengé! s'écria Glass, dramatique! Cela ne m'étonne pas de vous, espèce de dépravé!

– Dépravé? Vous allez fort et je m'étonne de votre pruderie subite; il fut un temps où vous couriez sans scrupules le cotillon. A quoi dois-je attribuer cette nouvelle attitude d'ascète?

– Ce n'est pas une question d'ascétisme, grommela Glass, mais bien d'unité artistique.

– Personne ne songerait à commettre un crime pour l'unité artistique, dit Hornbeam, c'est exactement ce que je voulais dire. Pour en revenir à notre idée, on ne tue pas un patron parce qu'on n'approuve pas sa façon de diriger. Cherchons plutôt si quelqu'un n'aurait pas eu des raisons personnelles ou financières pour désirer sa mort. Si vous éliminez toutes les absurdes suppositions engendrées par l'atmosphère de la maison, les deux seules personnes qui semblent répondre à la question sont votre ami Lester et votre amie Patricia Tallant... (Il regarda Glass du coin de l'œil.) A propos d'amour, à votre place je ne m'emballerais pas à fond pour cette péronnelle, elle est un peu bizarre. Son hérédité semble assez lourde, d'après ce que nous avons entendu dire, et vous avez pu constater par vous-même à quels excès elle est capable de se livrer sous l'empire de la colère. Sir Ernest claquait les portes, mais sa nièce envoie des gifles en plein visage et lance des modèles d'avion contre le mur.

Glass écoutait, médusé. Il n'avait jamais entendu Hornbeam s'exprimer avec une telle franchise. Peut-être l'inspecteur cédait-il à un besoin d'expansion pour atténuer quelque secret tourment. Pourtant...

La voiture stoppa devant l'énorme mausolée blanc de St. Martin's Lane. Très haut dans le ciel, l'enseigne lumineuse traçait en rouge orangé le nom célèbre des *Editions Tallant.* A part ces lettres de feu, la lumière du hall et celle d'une autre pièce à gauche, que l'on apercevait à travers les stores baissés, tout était la proie de l'ombre. Et Glass, qui par métier était rompu à toutes les émotions, sentit un étrange malaise l'envahir devant ces ténèbres menaçantes.

Un agent leur ouvrit la porte. Le hall était illuminé au fond par une lueur tombant du plafond comme un pâle rayon de lune, mais toute la partie avant restait plongée dans l'obscurité. La porte de l'ascenseur privé était grande ouverte et, sous la cabine arrêtée maintenant à un mètre au-dessus du rez-de-chaussée, on apercevait la vive lumière d'une lampe à réflecteur qui se déplaçait. Un bruit de voix, d'objets remués, montait de cette fosse sur laquelle se penchait un policier en civil. Plus loin, dans l'immeuble, on entendait le cliquetis vaguement perceptible d'une machine à écrire.

– C'est Mr Corinth, expliqua l'agent de faction à la porte. Je n'avais pas d'ordres pour empêcher le personnel d'entrer et il a prétendu avoir un travail urgent.

Hornbeam fronça le sourcil et se mit à la recherche du dactylographe. Dans l'écrasant silence de l'immeuble abandonné, la moindre parole se répercutait de manière ahurissante et, par un curieux phénomène d'acoustique, se perdit l'instant d'après dans un murmure indistinct. Le bruit des pas semblait se multiplier et on avait l'impression d'avoir à sa suite un invisible poursuivant qui calquait sa marche sur la vôtre.

Au-delà d'une rangée de bureaux plongés dans les ténèbres, dans la pièce même où il avait déjà reçu l'inspecteur au cours de l'après-midi, Mr Stephen Corinth, assis devant une machine à écrire portative, semblait concentrer toute son attention sur un travail dont il n'avait manifestement pas l'habitude.

La pièce brillamment illuminée paraissait à moitié dégarnie, les tableaux décrochés étaient rangés dans un coin, les livres empilés dans des caisses, un énorme tas de journaux – toutes les éditions du soir en plusieurs exemplaires relatant la mort de sir Ernest – occupait un des fauteuils; d'innombrables télégrammes ouverts encombraient la table. Corinth, strictement vêtu de noir, se leva cérémonieusement à l'entrée de ses visiteurs et s'inclina légèrement. La sueur perlait à son front chauve et son visage aux traits menus exprimait la tristesse.

– Bonsoir, messieurs, dit-il en prenant un ton de circonstance. J'étais certain que vous ne verriez aucun inconvénient à ma présence ici ce soir, il y a tant de choses à régler d'urgence, regardez plutôt... (Il désignait d'un geste théâtral les papiers amoncelés.) Des télégrammes de condoléances, des câbles venus du monde entier... « Il » aurait été heureux de voir cela! Vous seriez étonnés, messieurs, des noms illustres qui figurent sur certains d'entre eux... nous en ferons encadrer quelques-uns. J'ai eu une journée chargée, mais la production doit continuer et demain nous avons l'enquête, après-demain les funérailles...

Hornbeam jeta un coup d'œil circulaire sur la pièce en désordre.

– Vous partez, monsieur?

– Je déménage simplement d'ici pour aller occuper le bureau de notre regretté patron, certain de me conformer à sa volonté en agissant ainsi. Par respect pour sa mémoire, nous fermerons la maison jusqu'à lundi. Le personnel recevra intégralement sa paye, bien entendu. D'ailleurs, il a congé le samedi après-midi. Mr Hornbeam, poursuivit Corinth avec une émotion non feinte, avant d'avoir lu ces télégrammes je n'avais jamais mesuré la puissance, le dynamisme de notre chef et l'impulsion qu'un tel homme pouvait donner à la maison; mais son œuvre continuera, j'en fais le serment!

Une longue feuille de papier engagée dans la machine à écrire portait un titre : « Projet de réorganisation au sein du personnel. » Glass était trop loin pour déchiffrer les noms, mais il en compta une bonne douzaine.

– Me permettez-vous de vous demander si vous avez l'intention d'adopter strictement la ligne de conduite de sir Ernest dans l'administration de la maison? fit Hornbeam.

Corinth leva les yeux et s'aperçut que l'inspecteur regardait la machine à écrire; il sourit.

– Oh! il y aura naturellement quelques modifications, mais il les aurait approuvées lui-même. Nous devons tous essayer, chacun dans notre sphère...

– Puis-je savoir qui vous avez l'intention de renvoyer?

– Cher Monsieur! « Renvoyer! » Comme vous y

allez ! Est-il possible que vous puissiez imaginer... Aucun « renvoi » n'est prévu, Mr Hornbeam, je me proposais seulement de procéder aux mutations imposées par la situation, celles que notre chef avait envisagées lui-même pour son successeur. Tant que vous ne comprendrez pas ces nécessités, Mr Hornbeam, il serait peut-être plus sage de vous en tenir strictement à votre enquête. Miss Lake, par exemple, ne restera certainement pas dans la maison...

– Pourquoi ?

– L'avoué de sir Ernest – je l'ai vu cet après-midi – m'a appris que miss Lake figure dans le testament du patron pour un legs important, je puis même dire très important. Nul doute qu'elle veuille jouir en paix de ce confortable héritage et désire se retirer dans quelque coin tranquille après avoir recueilli le fruit de son travail. Qui pourrait l'en blâmer ? Je serai navré de la perdre et nous ne la laisserons pas partir sans organiser une réception d'adieu où nous lui offrirons un cadeau. Mais miss Lake a des idées assez arrêtées, elle a eu trop longtemps l'habitude de travailler sous une direction un peu particulière – si je puis m'exprimer ainsi – pour continuer volontiers sous une autre, quelle que puisse être la bienveillance du nouveau directeur à son égard... (Il retira la feuille dactylographiée de la machine avec beaucoup de soin.) Puis... oui, le jeune O'Reilly devra malheureusement quitter la maison, je le regrette, car j'ai toujours été bien disposé à son égard, mais c'était depuis longtemps l'intention de sir Ernest...

– Sir Ernest voulait se séparer de O'Reilly ?

– Bien sûr, informez-vous auprès de miss Lake. Il est un peu paradoxal d'avoir un directeur de collection de romans d'aventures qui ignore tout du Far-West. J'ai sous la main un remarquable collaborateur – un cousin de ma femme – qui a vécu cinq ans au Colorado et en Arizona et qui le remplacera avantageusement. Puis... voyons un peu : Bell, Blake, Curley : je ne crois pas que vous les connaissiez.

– Et Haviland, qu'en faites-vous ?

Corinth réfléchit avant de répondre.

– Réflexion faite, nous garderons Haviland qui est, à mon avis, un garçon capable et intelligent. J'ai, du reste, besoin de lui pour lancer plusieurs publications nouvelles d'un genre plus léger, pour nous mettre au goût du jour : *Confidences, Contes gais*, vous voyez cela d'ici ! Angus Mac Andrew partira certainement, je ne pourrais supporter l'insolence de cet homme.

– Et Pluckley ?

– Non, Pluckley restera, il serait impossible de trouver à aussi bon compte un mécanicien de sa compétence. J'avais bien songé à m'en séparer, mais il a des charges de famille et il faut savoir se montrer généreux. Voyons : Denting, Filer, Lester. Peu importe que Lester reste ou non. Comme il doit épouser Pat Tallant, il n'aura pas beaucoup de peine à diriger la collection de romans policiers.

– Bien que cela ne me regarde en aucune façon, dit Hornbeam, me sera-t-il permis de vous demander si vous entendez consulter miss Tallant au sujet de ces transformations ?

Corinth sourit.

– Je croyais vous avoir dit cet après-midi, Mr Hornbeam, que miss Tallant hérite de la fortune de sir Ernest à condition que je sois nommé administrateur délégué avec pleins pouvoirs de prendre seul toutes décisions concernant la maison d'édition. Et maintenant que vous connaissez ma situation et mes projets, vous voyez qu'il ne serait pas facile de se débarrasser de moi. Ne vaudrait-il pas mieux, inspecteur, continuer vos recherches ?

Stephen Corinth devait avoir les nerfs à fleur de peau, après les émotions de la journée, car il tressaillit en entendant frapper à la porte. Le sergent Biggs, qui portait des gants sales et de nombreuses taches de graisse sur ses vêtements et son visage, entra.

– Excusez-moi de vous déranger, monsieur, dit-il à Hornbeam, mais pourriez-vous venir ?

– Certainement. Avez-vous trouvé quelque chose ?

– Oui, répondit Biggs, je crois que nous avons découvert une partie des objets disparus.

XII

– Que pensez-vous de notre ami Corinth ? demanda Glass. Il fait place nette, mais voulez-vous parier avec moi qu'il enverra tout promener d'ici six mois ?

Hornbeam, qui marchait à côté du sergent Biggs, ne l'écoutait pas.

– Avez-vous trouvé le revolver ? demanda l'inspecteur.

– Non, monsieur, mais nous avons le volume du *Spectator* – on l'avait jeté dans la cage d'ascenseur – et d'autres débris qui proviennent probablement... mais vous verrez par vous-même.

En les entendant arriver, Davis, le policier en civil, remonta lestement de la fosse et dirigea le rayon de sa lanterne à réflecteur sur une rangée d'objets divers qui avaient été alignés sur le marbre devant l'ascenseur. Il y avait le troisième volume du *Spectator* renfermant la collection des numéros 170 à 251 avec la signature de Joseph Addison sur la page de garde et des annotations de sa main; la reliure moderne de cuir noir mat avait été détériorée dans la chute.

D'innombrables allumettes, de vieux mégots et deux étuis vides et froissés de cigarettes Player's... Un exemplaire du *Compagnon du Foyer* vieux de huit mois... Une pince rouillée... Deux morceaux de tuyau à gaz dont l'un très oxydé... Une statuette d'argent haute de douze à quinze centimètres mutilée – la tête manquait – et portant le nom d'Ernest Tallant gravé sur le socle... Les fragments d'une boîte de chocolats à la menthe « Black Beauty », assez grande pour contenir la statue... Tout un assortiment d'écrous, de boulons et de bouts de fil métallique... Une pile électrique... Une boucle d'oreille... Un tas de pièces métalliques diverses composé, semblait-il, de roues minuscules et de fins ressorts.

– Ce doit être tout ce qui reste de la petite montre de voyage, dit le sergent Biggs. Ces débris étaient éparpillés dans le fond de la cage et je les ai ramassés avec soin pour le cas où vous auriez tenu à les avoir tous. Mais regardez cette statue, il a fallu une hache pour la mutiler de cette façon. Ce gredin a jeté tous les objets volés dans la cage d'ascenseur après les avoir brisés en morceaux... on dirait un travail de femme.

Le Dr Glass eut un haut-le-corps.

– Un travail de femme? demanda l'inspecteur. Qu'est-ce qui vous fait supposer cela?

Biggs haussa les épaules.

– Je ne sais pas... Un rapprochement que j'ai fait entre cette boucle d'oreille et la boîte de chocolats. Ce n'est qu'une idée en l'air...

Hornbeam ramassa la boîte, la retourna, puis examina la statuette.

– Cette figurine a une certaine valeur, il est bizarre que nous n'en ayons pas entendu parler. Elle doit représenter le patron en personne et paraît avoir séjourné longtemps au fond de cette cage d'ascenseur, comme toute cette ferraille, du reste. Je vais noter quelques mesures et la description des objets.

Il tira son carnet.

– Avez-vous encore besoin de moi ce soir, monsieur ? demanda Biggs.

Hornbeam le considéra avec étonnement.

– Mais oui, dit-il. Nous allons essayer de savoir comment sir Ernest a été tué. Vous êtes bien pressé de partir ! Quelle mouche vous pique ?

– Oh ! C'est difficile à dire, mais cette maison me fait une drôle d'impression...

Il enleva ses gants souillés et fixa longuement l'inspecteur, les yeux dans les yeux. Davis sortit de la cage d'ascenseur où il était redescendu et approuva son camarade. Les visages des deux hommes portaient la même expression. L'écho renvoya leurs paroles et un long silence suivit. Hornbeam ramassa la lanterne pour mieux les regarder.

– Ma parole, fit l'inspecteur indigné, on dirait que vous avez peur !

– Oh ! non, monsieur.

– Mais si ! Me prenez-vous pour un imbécile ? fit Hornbeam. Eh bien, nous voilà propres ! N'avez-vous pas honte ! De quoi avez-vous peur ? Des revenants ?

– Non, monsieur.

– Allons ! assez de balivernes, videz votre sac ! Qu'avez-vous tous les deux ?

– Si vous me laissiez parler, monsieur, je pourrais peut-être vous l'expliquer, répondit Biggs.

L'écho qui renvoyait tous les sons amplifiés prenait des proportions de tonnerre, car Hornbeam avait des poumons solides et ce tapage commençait à énerver singulièrement Glass.

– Ce n'est pas que j'aie peur et je n'ai jamais rien dit de semblable, mais cela fait une drôle d'impression de se sentir observé du haut de la cage d'ascenseur et de ne trouver personne quand on va voir qui est là.

– Et qui vous observait, je vous le demande? Un revenant?

– Non, monsieur, je ne crois pas beaucoup aux fantômes, surtout quand je ne les vois pas. Tout ce que je peux dire c'est que l'impression était infiniment désagréable. Je n'aime pas me sentir suivi.

– Suivi? Quand vous a-t-on suivi?

– La première fois que je suis monté pour couper le courant, j'ai pris un des grands ascenseurs. (Il l'indiqua du geste.) Lorsque j'en suis sorti au cinquième étage, tout était obscur et j'ai cru voir quelqu'un sur le seuil du bureau de sir Ernest, quelqu'un qui m'épiait. Je l'ai appelé, mais personne ne m'a répondu. Il m'a fallu un certain temps pour trouver le commutateur principal et, pendant que je cherchais, j'avais le sentiment d'être suivi, mais une fois les lumières allumées je n'ai vu personne. On ne peut pas jouer à cache-cache dans un immeuble tel que celui-ci; les tapis sont si épais qu'on n'entendrait pas un éléphant marcher.

Hornbeam l'écoutait d'un air grave.

– Avez-vous cherché un peu partout là-haut?

– Oui, mais sans succès. Je suis monté ensuite dans la chambre du moteur où il y avait une drôle d'odeur.

– Une odeur?

– Oui, semblable à celle du métal en fusion, mais je n'ai rien aperçu d'anormal et, après avoir renvoyé l'ascenseur en bas, j'ai coupé le courant et je me suis servi du treuil à bras pour remonter un peu la cabine afin de pouvoir pénétrer au fond de la cage. Mais pendant tout le temps où j'ai opéré cette manœuvre, il m'a semblé que quelqu'un me guettait à travers la fenêtre de la chambre du moteur.

Hornbeam fit quelques pas de long en large, puis il vint se planter devant le sergent.

– Oubliez ma sortie de tout à l'heure, dit-il, je comprends votre état d'esprit. Vos nerfs sont-ils un peu plus solides maintenant ?

– Ils n'ont jamais flanché, je trouvais simplement l'impression désagréable.

– Alors vous allez prendre un des ascenseurs principaux avec Davis et monter de nouveau à la chambre du moteur. Tenez-vous près du treuil et lorsque je pousserai un cri, nous nous entendrons, je suppose, malgré la distance ?

– Oui, la voix porte comme dans un tube acoustique.

– Parfait ! Quand je vous donnerai le signal, vous ferez monter la cabine jusqu'à ce que je vous crie d'arrêter. A propos, peut-on manœuvrer l'ascenseur de là-haut sans faire usage du treuil ? Lorsque le contact électrique est établi, veux-je dire.

– Oui, il y a un tableau numéroté; on dirige l'ascenseur en pressant le bouton approprié, mais on ne peut utiliser ce tableau lorsque le courant est coupé.

– Bien, alors filez vite là-haut.

Il se tourna vers le médecin.

– Allons-y, mon ami, nous allons nous faire hisser tous les deux pour voir comment ces portes fonctionnent lorsque le courant ne passe plus; puis vous redescendrez seul et nous procéderons à la reconstitution du crime.

– Ne croyez-vous pas, dit Glass, que nous avons ici un visiteur indésirable?

– Non, je connais cette impression pour l'avoir éprouvée moi-même en passant la nuit dans la crypte de St. Paul lors d'une enquête précédente; il faut dompter son imagination pour l'empêcher de jouer des tours. Vous venez?

Le plancher de la cabine craqua sous leur poids. Il faisait très chaud entre les murs de faux bronze, et les quatre petites lumières éclairaient les taches de sang qui tournaient au brun. Glass leva les yeux pour regarder la cage d'ascenseur par-delà le plafond brisé; quarante-deux mètres peuvent paraître une distance considérable quand on les a au-dessus de soi. Tout là-haut, il crut apercevoir une minuscule lueur venant de la chambre du moteur et entendre des pas.

Une sorte de battement fort et régulier leur parvint bientôt. Hornbeam tira sa montre.

– A propos, dit Glass, avez-vous calculé à quel endroit précis se trouvait cette charmante cage à mouche au moment du coup de revolver?

L'inspecteur eut un geste d'impatience.

– Réveillez-vous, Horry, et réfléchissez un peu.

– Je n'ai jamais été plus maître de mes facultés.

– Alors vous devriez comprendre que les calculs les mieux établis n'ont aucune portée dans votre hypothèse du crime. La cabine met soixante secondes pour descendre du cinquième étage au rez-de-chaussée *lorsque le courant électrique est établi,* mais lorsque celui-ci est coupé et que l'on se sert du treuil à bras, il n'y a plus de règle fixe et nos calculs deviennent des approximations sans valeur. Tout au plus est-il permis de penser qu'on a fait descendre la cabine à une vitesse à peu près normale.

Une voix d'outre-tombe, semblable à celle d'un fantôme dans une séance de spiritisme, tomba du haut du ciel : Biggs devait crier à travers l'ouverture ménagée pour un des câbles.

– Etes-vous prêts, en bas?

La déflagration produite par la réponse de Hornbeam fut suivie d'un craquement. La cabine eut un sursaut, trembla et se mit à grimper régulièrement.

Montre en main, Hornbeam constata que l'ascension était extrêmement lente, les craquements et les soubresauts continuaient. Ils dépassèrent le premier étage.

– Cela ne va pas, grommela Hornbeam, nous montons à peine de trente centimètres par seconde. Hé! là-haut! plus vite! cria-t-il.

– Impossible, répondit la voix.

– Alors essayez le contraire, faites-nous descendre!

La vitesse de descente ne fut pas plus brillante.

– Remontez, et tirez un peu, que diable!

Le trajet du second au troisième étage s'accomplit toujours aussi lentement.

– Il est évident, observa le médecin, qu'au moment du crime cette boîte marchait à une vitesse double de celle que vos hommes obtiennent malgré tous leurs efforts.

– Il y a peut-être un truc. Nous allons maintenant essayer les portes. Voici l'étage de Patricia Tallant; attention!

A vingt mètres en l'air, le coffre de bronze poursuivait son ascension régulière; il se trouvait à environ cinquante centimètres du niveau de l'étage lorsque Hornbeam, tendant le bras, atteignit le bouton de la porte du troisième et essaya vainement de le tourner. La cabine poursuivit sa marche et il dut bientôt lâcher prise.

– Elle ne s'ouvre pas, dit-il.

– C'est ce que je vois, fit Glass avec une politesse raffinée. Essayez la suivante.

– Je commence à me demander si pour la centième fois vos fameuses théories ne m'auraient pas entraîné dans une entreprise chimérique, grommela l'inspecteur.

La porte du quatrième ne céda pas davantage bien qu'il fît un violent effort pour l'ouvrir.

Ils étaient à mi-chemin du cinquième lorsqu'un autre événement se produisit. Le bruit incessant au-dessus de leur tête ressembla soudain au claquement d'un gigantesque fouet dont la proximité les fit frémir, et la cabine pencha brusquement sur le côté.

Bien que l'inclinaison n'excédât pas huit ou dix centimètres et ne pût s'accentuer beaucoup en raison de la proximité des parois de la cage, Glass eut l'impression que la cabine allait se retourner sens dessus dessous pour aller s'écraser au sol. Le mouvement d'ascension cessa dans un silence total.

– Ça ne va pas? cria la voix qui semblait étrangement proche de leurs oreilles.

Un craquement sec, suivi de crissements métalliques, répondit, et le plancher de la cabine s'inclina davantage. Hornbeam leva les yeux et observa avec le plus grand calme.

– Un des câbles cède ou a déjà cédé. Tenez bon!

Le Dr Glass s'appuya contre la paroi; il imaginait la chute de plus de trente mètres, l'écrasement sur le sol de béton et se sentait pris de vertige.

– Soyons précis : oui ou non, le câble a-t-il cédé? Croyez-vous que l'autre pourra nous soutenir?

– Non, ou du moins pas longtemps.

– Bien, nous voici fixés! Ne vaudrait-il pas mieux mettre le contact pour que nous puissions ouvrir une porte et sortir de ce cercueil ambulant ?

– Impossible, car nous avons laissé celle du rez-de-chaussée ouverte.

– Et aucune des portes d'étage ne peut s'ouvrir ?

– Il ne semble pas.

– Rien d'anormal en bas ? reprit la voix.

– Mais non, au contraire, espèce d'imbéciles ! êtes-vous devenus sourds ?

– Taisez-vous ! ordonna Hornbeam.

Il fit un cornet de ses mains pour amplifier sa voix.

– Vous m'entendez, Biggs ?

– Oui, monsieur.

– Un des câbles est cassé et l'autre peut céder d'une minute à l'autre. Aucune porte ne peut s'ouvrir. Nous n'avons qu'une seule chance pour nous tirer d'affaire : il faut que vous fassiez descendre la cabine avant la rupture du câble. Vous entendez ?

– Oui.

– Allez-y doucement; surtout pas de mouvement brusque ou nous sommes fichus. En route...

La cabine heurta un montant métallique et fit une embardée. Le Dr Glass se raidit comme si son effort pouvait diminuer le danger du plongeon fatal. La sueur inondait son visage. Mais l'ascenseur descendait lentement dans un affreux grincement. Hornbeam se plaça dans le coin opposé à Glass pour lui faire équilibre.

– Voulez-vous avoir l'extrême bonté de remettre votre montre dans son gousset, dit le médecin. Son infernal tic tac me tape sur les nerfs.

– Oh ! rien de plus facile.

– Croyez-vous franchement que ce câble nous soutiendra jusqu'au bout ?

– Aucune idée, répondit Hornbeam qui regardait en l'air.

– Le métal en fusion! s'écria soudain Glass.

– Quoi?

– L'odeur que le sergent Biggs a remarquée dans la chambre du moteur! Consentirez-vous à admettre que le fameux visiteur dont vous avez nié l'existence a sectionné en partie le câble avec un chalumeau? Et j'ai tout lieu de croire qu'il a traité l'autre de la même façon.

– Ne bougez pas! vous allez provoquer une catastrophe!

– Je ne bouge pas, je me contente de vous donner une indication.

– Le poids se fait sentir, maintenant, dit Hornbeam qui ne quittait pas le câble des yeux.

La cabine était animée d'un inquiétant mouvement pendulaire.

Troisième étage : encore vingt mètres.

– Je voudrais bien savoir ce qui s'est passé, murmura l'inspecteur après un silence.

– Je vous l'ai dit tout à l'heure en termes clairs : on a coupé le câble.

– Ce n'est pas à cela que je pensais. Je me demandais pourquoi ces portes ne s'ouvrent pas. Toute la théorie du crime...

– Aucun sujet ne m'est plus indifférent en ce moment, dit Glass.

Deuxième étage : treize mètres. La tension diminuait quelque peu.

– Je puis toujours vous dire ceci, continua Hornbeam. Si jamais nous sortons vivants de cette cabine – que Dieu m'entende! –, je jure de ne plus jamais prêter l'oreille à une seule de vos idées extravagantes. C'est bien fini cette fois. F-i-n-i, entendez-vous?

– Je connaissais déjà l'impudence par ouï-dire,

répondit Glass. J'ai même eu, certaines fois, au cours d'expériences tentées sous votre direction, l'occasion de l'entrevoir, mais de ma vie...

– Vous aviez certifié que cela marcherait.

– Au contraire! j'ai pris soin de spéficier que cela ne marcherait pas. Je vous ai expliqué avec une éloquence que vous êtes incapable de comprendre...

Premier étage : sept mètres.

– Préparez-vous, Horry, dit Hornbeam, le câble lâche.

Glass affirma plus tard que le fracas avait dû s'entendre jusqu'à Trafalgar Square; mais lui-même le perçut à peine. Le sol céda sous ses pieds puit vint brutalement à sa rencontre. Un objet lourd tomba à travers le toit ouvert, et faillit atteindre Hornbeam à la tête. Le vacarme se répercuta interminablement, puis ce fut le silence. Glass se retrouva assis sur le sol, tout étourdi et avec l'impression vague qu'il s'était passé quelque chose.

– Nous avons eu de la chance! fit la voix lointaine de Hornbeam.

– Sommes-nous en bas?

– Oui.

Le lorgnon intact du médecin gisait à côté de lui. Il le ramassa machinalement et il l'ajusta sur son nez. Puis il constata à sa grande surprise qu'en dehors du tremblement nerveux qui l'agitait, il n'avait pas de mal. Mais, en se remettant péniblement sur ses pieds, il s'aperçut que son postérieur était assez douloureux et il se mit à jurer.

– Sortons d'ici, dit Hornbeam.

La cabine était tombée au fond de la cage; ils durent se hisser jusqu'au rez-de-chaussée, aidés par un agent éberlué, qui leur tendit la main. Celui-ci leur demanda s'ils étaient blessés.

– Non, c'est étonnant mais c'est ainsi, répondit

Glass. Nous n'avons pas de mal. Quiconque est assez fou pour tenter des expériences avec Dave Hornbeam peut s'estimer heureux de s'en tirer avec deux jambes cassées et une déviation du coccyx. Je trouve par conséquent que des lésions internes...

– De toute façon, nous voilà en bas, fit Hornbeam avec placidité. Et maintenant il me faut un téléphone.

Biggs et Davis sortaient au même instant d'un des ascenseurs principaux.

– Vous allez fouiller cet immeuble de fond en comble, leur dit-il. Vous aussi, Patterson. On peut parier à cent contre un que vous ne trouverez pas un chat : l'individu a eu le temps de filer. Commencez par le cinquième étage et relevez bien tous les indices. Non, personne n'est blessé, nous ne sommes tombés que de six bons mètres. Dépêchez-vous.

Maintenant que la cabine reposait au fond de la cage, son toit était parfaitement visible. Hornbeam en considéra les angles arrondis, la surface d'acier noirâtre percée en son milieu d'une fenêtre carrée d'environ vingt centimètres de côté à laquelle adhéraient encore des morceaux de verre. De chaque côté du ciel vitré des supports carrés soutenaient les câbles. L'un de ceux-ci était tombé à travers le toit, l'autre pendait sur le côté. Tous deux avaient cédé à trois mètres des supports.

L'inspecteur saisit un des câbles et l'examina.

– Oui, dit-il, l'accident paraît avoir été préparé. Et maintenant, vite au téléphone; j'en ai vu un dans le salon où miss Tallant m'a reçu.

– Pourquoi voulez-vous téléphoner?

– Je veux joindre Pluckley ou quelqu'un de compétent qui puisse nous indiquer la fausse manœuvre que nous avons exécutée. Si l'hypothèse des portes qui s'ouvrent lorsque le courant est coupé doit être abandonnée, j'entends qu'elle le soit sans nouvel accident.

Glass suivit l'inspecteur en traînant ostensiblement la jambe. Renseignement pris sur l'annuaire du téléphone, Pluckley habitait assez loin, à Lambeth. Hornbeam l'eut enfin au bout du fil.

– Voilà, dit-il, après avoir fourni des explications. Les portes n'auraient-elles pas dû fonctionner ?

– Mais non, répondit Pluckley. Vous vous y êtes mal pris. Si vous aviez écouté ce que je vous ai dit aujourd'hui, vous auriez compris. Le seul contact électrique qui maintient la fermeture des portes est celui établi par le poids du voyageur de la cabine. L'autre dispositif de sécurité qui maintient la porte fermée est d'ordre purement mécanique : il faut que le bas de la cabine soit exactement au niveau du plancher de l'étage et que les cliquets soient engagés dans la rainure pour que la porte s'ouvre. La cabine est, par conséquent, retenue en place.

– Si nous l'avions mise exactement au niveau d'un étage, ce soir, la porte se serait-elle ouverte ?

– Oui, à condition que l'ascenseur soit arrêté.

– Nous ne nous sommes pas arrêtés... mais l'ascenseur est bien descendu directement lorsque sir Ernest Tallant a été tué !

– Il y a impossibilité matérielle, dit Pluckley. Que le contact électrique soit établi ou non, les portes ne peuvent s'ouvrir que si l'ascenseur est arrêté. Je vous félicite de votre courage, messieurs.

Hornbeam raccrocha lentement et s'absorba pendant un instant dans ses réflexions. Glass et lui avaient été plus secoués qu'il n'aurait voulu l'admettre. Pour avoir été brève, la sensation de frayeur n'en demeurait pas moins marquée dans leur esprit.

– Rien ne colle plus, nous avons de nouveau déraillé. Et cet accident... Oui, vous aviez raison, quelqu'un a touché aux câbles; mais dans quel but, je vous le demande?

– Pour se débarrasser de nous.

– Cela ne tient pas debout. Biggs ou Davis auraient tout aussi bien pu monter à notre place. Que pouvait espérer la personne qui a manigancé cela? A moins, bien entendu, qu'il y ait un fou en liberté dans cette maison. Il n'a obtenu en fait qu'une cabine brisée et un vacarme épouvantable.

– Un vacarme épouvantable, murmura Glass.

– Comment?

– Je répète, un vacarme épouvantable, un bruit capable de couvrir tous les autres. Pourquoi Stephen Corinth n'est-il pas venu voir ce qui s'était passé?

– Qu'avez-vous en tête?

– Vous le savez aussi bien que moi.

Ils se levèrent de concert et, sans hâte apparente, traversèrent le hall, les antichambres obscures et ouvrirent la dernière porte.

Le bureau à demi déménagé de Mr Corinth était toujours brillamment illuminé. La lumière jouait sur le vernis du grand bureau encombré de télégrammes, sur la machine à écrire et même sur le crâne chauve de Corinth. Celui-ci, assis dans son grand fauteuil, avait encore un doigt appuyé sur le clavier de sa machine et paraissait sommeiller, mais ses yeux étaient grands ouverts et une expression d'horreur et d'incrédulité était figée à jamais sur son visage. Une odeur de poudre traînait dans la pièce : Corinth avait été tué d'une balle en plein front.

2

EXTRAITS DU CARNET DE L'INSPECTEUR EN CHEF HORNBEAM

> La question capitale pour un policier est de discerner le moment précis où il peut se faire une opinion définitive.
>
> Hans GROSS : *Enquête criminelle.*

(Notes relatives au laps de temps compris entre 14 heures et 23 h 22, le mercredi 11 mai.)

Patricia Tallant affirme que sir Ernest était seul dans la cabine lorsque celle-ci est descendue. Elle a pu l'observer de près au passage de l'ascenseur. Aucun objet, ni personne sur le toit de ladite cabine. (Déclaration confirmée par le Dr Glass.)

Liste des articles volés dans les bureaux entre le 16 avril et le 11 mai : Pendulette de voyage, combinée avec baromètre anéroïde de forme circulaire, diamètre : 6 cm, cadre et socle d'argent.

Modèle d'avion muni d'un moteur miniature à essence. Une bougie et une résistance manquent. Fabriqué par A. et G. Model Co., Flint, Mich. U.S.A.

Volume manuscrit original. *Spectator,* reliure cuir noir : hauteur : 15 cm, largeur : 10 cm, épaisseur : 2 cm.

Revolver réglementaire Webley, calibre 45, dont Lester reconnaît être le propriétaire.

(N.B. – Suit un résumé du témoignage de Lester conforme au texte.)

Projectile trouvé dans le cadavre par le médecin légiste. Rapport dudit médecin spécifie : *a*) aucune marque de fumée; *b*) très légères traces de charge non brûlée au bord du trou formé par projectile dans veston du mort.

(Se rappeler que le verre du ciel vitré était brisé en morceaux et non simplement perforé.)

Résumé du rapport reçu par le capitaine Brolling, expert armurier, sur projectile fourni :

« La pièce n° 33 est une balle semblable à celles employées pour le revolver réglementaire Webley. La présence de rayures en spirales et de stries sur la balle prouve qu'elle a été tirée par une arme à canon rayé.

» La nature des spirales, leur finesse, leur nombre (sept), leur sens (droite) et le diamètre de la balle (45) semblent indiquer que cette arme est un revolver réglementaire Webley. »

Déclarations des témoins relatives à leurs positions respectives au moment du coup de revolver, présentement résumées pour mémoire.

(N.B. – Suit autre résumé des témoignages donnés *in extenso* dans le texte.)

Ne pas perdre de vue certains conflits entre lesdits témoins.

Etablir par calculs mathématiques position probable de la cabine au moment de la détonation.

D'après miss Lake l'heure à laquelle sir E... devait quitter l'immeuble n'était pas connue, mais...

a) il sortait chaque jour pour déjeuner;
b) il descendait toujours par l'ascenseur privé;
c) jamais personne ne l'accompagnait;
d) quelqu'un guettant d'un des étages inférieurs le départ de la cabine pouvait compter sur un délai minimum de trente secondes, avant son arrivée à l'étage.

Les articles suivants ont été trouvés au fond de la cage d'ascenseur :

1. Le volume du *Spectator* manquant (voir plus haut).
2. Quantité d'allumettes brûlées et de vieux mégots, deux étuis vides et froissés ayant contenu chacun dix cigarettes Player's.
3. Un numéro du *Compagnon du Foyer* de novembre 1936 : très sale, mais non déchiré.
4. Une pince d'électricien en mauvais état (une mâchoire cassée).
5. Deux morceaux de tuyau du modèle courant utilisé pour le gaz ou l'eau. N° 1 : long. 15 cm, très oxydé et encrassé. N° 2 : long. 10 cm, oxydé mais non encrassé.
6. Statuette d'argent sans tête. Haut. actuelle 9,5 cm. Socle gravé « Ernest Tallant ». (Avant anoblissement ?)
7. Morceaux de carton qui, rassemblés, constituent une boîte de chocolat à la menthe, « Black Beauty »; inscription blanche sur carton noir; dimensions 15 × 10 × 4,5 cm.
8. Collection d'écrous (7), de boulons (3), de 1,8 à 1,9 cm. Plusieurs rondelles, 8 morceaux de fil métallique, 2 petits morceaux de fusible.
9. Un gros peloton de fil de cuivre isolé enroulé sur du papier (peut provenir du modèle d'avion).
10. Petite pile de torche électrique, long. 5 cm diamètre 2 cm.
11. Boucle d'oreille de femme, or, incomplète (la pierre manque).
12. Divers fragments de métal, pièces d'horlogerie, roues dentées.

Le fond de la cage d'ascenseur était couvert d'une épaisse couche d'huile et de crasse, tous les objets ci-dessus sont enduits de cette matière.

Vérification faite, la cabine ne peut pas dépasser une vitesse de trente centimètres par seconde lorsqu'elle est manœuvrée par le treuil à bras.

Ne pas perdre de vue la portée que peut avoir la constatation ci-dessus.

TROISIÈME PARTIE

DESCENTE D'UN FANTÔME

XIII

Le Dr Glass ne revint au temple qu'en fin d'après-midi, à l'issue d'une journée chargée. Outre ses occupations personnelles, il avait dû assister à l'enquête judiciaire sur l'« affaire Tallant » qui s'était terminée par un ajournement. Hornbeam l'avait appelé par téléphone vers 5 heures.

– Nous avons trouvé le revolver, lui avait annoncé l'inspecteur. Du moins semble-t-il que cette arme ait...

– Oui, je sais. Où l'avez-vous découvert ?

– Je vous le donne en mille. Non, pas dans le bureau de Corinth : dans un endroit bien plus extraordinaire. Venez me retrouver, si vous êtes curieux.

Les choses n'avaient guère avancé depuis le moment où Glass avait examiné le cadavre de Corinth la veille au soir. Corinth avait été tué par une balle de revolver de 45 tirée à une distance suffisante pour ne pas laisser de traces de poudre. Le capitaine Brolling, expert armurier, n'avait pu donner d'autres précisions.

Lorsqu'il avait été découvert à 23 h 22, Corinth venait de mourir depuis quelques minutes seulement. L'arme du crime n'était pas dans la pièce, et le meurtrier avait eu toutes facilités pour entrer et sortir : la surveillance de l'immeuble était confiée d'ordinaire à deux gardiens de nuit. Mais, tout le personnel ayant été mis à pied jusqu'à nouvel ordre, les deux hommes s'étaient empressés d'interpréter cette mesure à leur bénéfice. Personne non plus au service des livraisons. Le numéro de juin du *Compagnon du Foyer* avait paru deux jours auparavant, les autres publications ne paraissaient qu'en fin de mois.

L'immeuble comprenait, outre la grande porte de la façade, une porte latérale et deux autres portes à l'arrière donnant accès au sous-sol, mais tous les chefs de service et employés supérieurs possédaient au moins une clé de l'entrée; il semblait donc que le meurtrier devait avoir une certaine situation dans la maison, et l'expression même du visage de Corinth mort indiquait qu'il connaissait très bien l'assassin dont l'aspect menaçant lui avait causé une intense surprise.

La presse s'était emparée de l'affaire et d'innombrables placards annonçaient qu'une véritable terreur régnait aux Editions Tallant. Péniblement impressionné, Horatio Glass eut peine à se frayer un passage à travers la foule des reporters massés devant le temple. La première personne qu'il aperçut en entrant fut Grey Haviland, engagé dans une conversation amicale avec le sergent Biggs. Il remarqua que l'ascenseur privé avait été réparé.

Sans s'attarder aux réflexions qu'auraient pu lui suggérer ces diverses constatations, il rejoignit aussitôt Hornbeam qui s'entretenait avec Patricia Tallant dans le bureau de Stephen Corinth. Le Dr Glass brûlait d'envie de s'informer du revolver, mais un coup d'œil impérieux de l'inspecteur retint la question sur ses lèvres.

– Vous comprenez la situation, miss Tallant? s'enquit ce dernier.

Elle inclina la tête en signe d'assentiment. Glass eut peine à reconnaître en cette créature docile, dont la vie semblait s'être retirée, la jeune tigresse de la veille.

– Excusez-moi, miss Tallant, reprit Hornbeam, mais êtes-vous bien sûre de la comprendre? J'ai parlé à votre avoué; non seulement vous devenez propriétaire de l'affaire, mais vous allez être maîtresse de la diriger à votre gré, et vos décisions seront sans appel.

Elle regarda tour à tour les murs, le sol, le plafond, comme si elle les voyait pour la première fois.

– Oui. Je n'avais guère envisagé cette éventualité et mon intention était de m'en remettre à Stephen, mais maintenant, que cela me plaise ou non, il faudra bien que je fasse marcher la maison. C'est mon devoir, mon devoir absolu...

Son ton passionné parut surprendre Hornbeam.

– Excusez mon indiscrétion, miss Tallant : la mort de Mr Corinth vous affecte-t-elle plus que celle de votre oncle?

– Non, mais les deux ensemble sont un terrible coup pour moi. Je ne sais si vous pouvez me comprendre.

Hornbeam qui traçait machinalement des dessins sur un buvard ne répondit pas.

– Comptez-vous assumer personnellement la direction de la maison, miss Tallant?

– Oui.

– C'est là où je voulais en venir. Avez-vous l'intention de procéder à d'importantes redistributions de postes au sein du personnel?

– Le moment ne vous semble-t-il pas mal choisi pour soulever cette question?

Hornbeam la regarda.

– Non, dit-il d'un ton grave. Et vous allez comprendre pourquoi : Mr Corinth, lorsqu'il a été tué hier soir, ici même, était occupé à établir une liste des mutations qu'il se proposait d'y opérer. Cette liste était encore sur la machine, devant lui, lorsque nous avons découvert son cadavre.

C'est donc cela, pensa Glass. La vérité commençait à se faire jour : il devenait de plus en plus probable que le meurtrier du temple, loin d'être un fou sanguinaire frappant au hasard, avait minutieusement et intelligemment établi son plan. Les vols étranges du début faisaient peut-être même partie d'une méthode savamment élaborée pour faire croire à l'œuvre d'un mauvais plaisant. Le crime pouvait avoir eu la mainmise sur la maison d'édition pour mobile et on l'avait monté comme une mécanique sans faille. Glass ne le trouvait que plus inquiétant.

– Il établissait une liste des mutations à opérer au sein du personnel?

– Oui. Mr Corinth en avait de nombreuses en vue, le saviez-vous? Voyez plutôt... (Il tira une feuille de son carnet.) J'ai pointé les noms susceptibles de vous intéresser, les voici : « Angus Mac Andrew; George Patrick O'Reilly; Helen Lake; William Lester (à voir)... »

Patricia s'était dressée sur son siège. Le Dr Glass, qui l'observait, vit les jolis traits se durcir soudain.

– Puis-je voir la liste?... Ainsi, ajouta-t-elle, c'est là ce que Stephen a toujours eu en tête!

– Adopterez-vous ces modifications?

Elle eut un rire bref.

– Renvoyer Angus Mac Andrew? Certes non, j'en ferai naturellement mon nouveau directeur.

– Le nouveau directeur ne sera donc pas Mr Lester?

Elle sourit.

– Non, Bill est un charmant garçon, mais il n'est pas l'homme de la situation. Et il ne peut être question naturellement de se débarrasser de ce brave O'Reilly qui est si sympathique à tous. On pourrait trouver mieux au point de vue compétence, mais il n'y a pas plus consciencieux que lui. J'ai eu l'occasion de parler à un véritable explorateur du Far-West, il m'a certifié que tout ce que l'on en a écrit est du toc; dans ces conditions, l'ignorance de O'Reilly importe peu.

Hornbeam prit un air paterne.

– Et miss Lake? Etant donné vos sentiments à son égard...

– Parce que je lui ai flanqué une gifle? Cela n'a pas d'importance. Helen ne demandera pas mieux que de travailler pour moi et d'obéir à mes ordres.

– Malgré son héritage?

– Oh! Mon oncle lui a laissé quelque chose?

– Un legs très important, nous a dit Mr Corinth.

– En ce cas, elle partira demain. Je vous ai dit n'avoir jamais envisagé ma situation actuelle, c'est faux : j'ai parfois réfléchi à ce que je ferais si j'avais la direction de la maison. Je voudrais redresser certains torts, mettre en valeur les individus capables. On est également susceptible de recevoir de l'avancement en ce bas monde, si l'on peut être renvoyé! Et je voudrais bien savoir, docteur, pourquoi vous faites une si drôle de tête?

Glass ignorait qu'elle s'était aperçue de sa présence, mais Patricia avait observé son image dans la porte vitrée d'une bibliothèque.

– Puis-je poser une question sans risquer vos sarcasmes? demanda Glass.

Hornbeam fit un signe d'assentiment.

– Ma question est des plus sérieuses, la voici : maintenant que vous voilà propriétaire de l'affaire, directrice investie de tous les pouvoirs et libre de faire ce qui vous plaît, comptez-vous publier les aventures du *Jeune Albert à Montmartre* dans votre cours de grammaire?

– Voyons, Glass! fit Hornbeam.

– Ce n'est pas le moment! s'écria Patricia.

– Mais si. Prenez ma question pour un symbole, si vous voulez. On peut se permettre certaines audaces quand un autre assume le poids de la direction. Mais qu'en fait-on lorsque la responsabilité vous incombe tout à coup?

– Notre docteur me semble disposé à philosopher, observa Patricia d'un ton railleur. Mais à quoi riment toutes ces questions? Pourquoi cet intérêt subit pour les Editions Tallant? La police n'a pas à se mêler de l'organisation intérieure de la boîte. (Elle ferma à demi les paupières sur la subite étincelle de son regard.) Vous ne supposez pas, j'imagine, que le meurtrier tue pour provoquer des changements dans la maison? ou pour éviter son renvoi? Ce serait absurde!

Hornbeam se leva vivement.

– Nous avons encore beaucoup à faire, miss Tallant, aussi ne vous importunerai-je pas plus longtemps... Oh! j'allais oublier une petite formalité! Auriez-vous l'obligeance de me dire ce que vous avez fait hier soir? Un simple résumé de votre emploi du temps, en quelques mots.

– Au cas où j'aurais tué ce pauvre Stephen?

Hornbeam répondit en riant :

– Oui, si vous préférez interpréter ainsi ma requête, miss Tallant.

Elle hésita.

– Voici : après avoir dîné ensemble, Bill et moi, nous sommes allés voir le Dr Glass, ici présent. Nous n'avions aucun motif spécial pour nous rendre chez lui, ajouta-t-elle en lançant un coup d'œil rapide au médecin, mais le Dr Glass est un vieil ami de Bill, ce qui nous autorisait à monter chez lui en passant. Il nous a offert quelques rafraîchissements et il était à peu près 9 h 45 lorsque nous l'avons quitté. En nous retrouvant seuls dans la rue, nous avons éprouvé tous deux une telle impression de tristesse que, ne sachant comment la dissiper, nous sommes entrés au cinéma.

– Quel cinéma?

– Le *Tivoli*, dans le Strand. Bill m'a ramenée chez moi un peu avant 11 heures. J'habite, tout près d'ici, un appartement situé dans St. Martin's Lane, si ce renseignement peut vous être utile.

– Mr Corinth me l'avait déjà donné. J'ai même inscrit votre adresse.

– C'est tout, dit Patricia en haussant légèrement les épaules. Je me sentais si déprimée que je n'ai pas invité Bill à monter chez moi; il m'a quittée pour rentrer directement à Bloomsbury, où il habite. Oui, il était environ 11 heures. Je me suis couchée immédiatement et j'étais encore au lit lorsque vous m'avez téléphoné ce matin.

– Je vous remercie, miss Tallant, dit Hornbeam avec bonne humeur. (Il appela l'agent Patterson.) Veuillez reconduire miss Tallant au salon, et envoyez-moi Mr Haviland dans cinq minutes, mais pas avant.

Après leur départ l'inspecteur s'approcha de la fenêtre et regarda pensivement au-dehors à travers les stores baissés.

– Non! fit-il soudain en secouant la tête.

– Je vois que vous avez retrouvé Haviland, dit Glass. Quand l'avez-vous déniché?

– Ce matin. Il a passé la nuit dehors et ce n'est pas tout! Il a simulé l'ivresse en rentrant – bien qu'il ne soit pas plus saoul que ça – et il a trouvé un médecin complaisant qui lui a donné l'autorisation de rester au lit toute la matinée. Je suis prêt à le recevoir, déclara Hornbeam d'un ton gros de menace. Mr Grey Haviland verra de quel bois je me chauffe!

– Et le revolver, Dave? Le revolver? Vous m'aviez promis...

Hornbeam prit dans sa serviette un paquet enveloppé d'un linge de toilette qu'il déploya; Glass aperçut un revolver Webley 45 conforme au modèle utilisé pendant la guerre de 1914; une plaque d'argent, sur la poignée, portait les initiales W.G.L. : l'intérieur du canon montrait qu'il avait récemment séjourné dans l'eau.

– C'est l'arme que nous avons si longtemps cherchée, dit l'inspecteur. Brolling affirme que les deux balles ont été tirées par ce revolver.

– Où l'avez-vous trouvé?

– En haut, dans le réservoir de la chasse d'eau des W.C., répondit Hornbeam. Et si vous vous avisez de rire, je vous tords le cou!

– Je ne ris pas, répondit Glass après réflexion, au contraire; le contraste est parfait, on ne fait pas mieux!

– J'ignore à quoi vous faites allusion; tout ce que je sais, c'est qu'on l'a trouvé là.

– Pas dans le fameux lavabo du quatrième?

– Si, on l'a découvert ce matin par hasard. La chasse d'eau fonctionnait d'elle-même toutes les deux minutes dès que le réservoir était plein. Attiré par ce bruit insolite, un de nos hommes, Roberts, est monté voir ce qui se passait. Le revolver avait glissé sous le piston plongeur et le réservoir se vidait automatiquement; il a dû fonctionner toute la nuit.

– Vous supposez par conséquent que le revolver a été placé là hier soir?

– Si j'osais risquer une hypothèse, grommela Hornbeam, je dirais qu'il y était depuis l'assassinat de sir Ernest. Peut-on rêver meilleure cachette? Sans l'accident qui l'a coincé sous le piston, nous ne l'aurions probablement pas encore trouvé à l'heure actuelle. Et cependant, tôt ou tard, il était fatal qu'on lc découvre. Je ne sais plus que penser.

– Vous dites que deux balles ont été tirées avec cette arme?

– Non, toutes.

– Comment, toutes?

– Les six chambres sont vides et les six douilles sont dans le barillet.

– Mon cher Dave, c'est insensé! Faut-il que nous cherchions quatre autres cadavres?

– Je ne sais pas, je vous mets simplement au courant des faits...

Hornbeam saisit le revolver, ouvrit le magasin et les six petits cylindres de cuivre tombèrent sur la table.

– Brolling n'a pas pu me dire depuis combien de temps les autres coups ont été tirés, la longue immersion rend toute vérification impossible.

– Lester l'a-t-il identifié?

– Bien sûr, O'Reilly aussi; il a même failli s'évanouir en l'apercevant. Lester et lui sont tous deux en haut.

– C'est O'Reilly qui détenait ce revolver en dernier lieu. Ce serait bien le diable s'il n'avait pas une idée quelconque au sujet de sa disparition!

Hornbeam secoua la tête.

– Non. On ne peut rien tirer de lui, j'ai passé une heure à l'interroger ce matin sans résultat. O'Reilly est un témoin plein de bonne volonté, mais il nage complètement.

– En somme, la situation peut se résumer ainsi, dit Glass en s'animant : ce revolver a servi à tuer Tallant et Corinth, admettons-le. Hier, quelqu'un a réussi à s'introduire avec cette arme dans une cabine d'ascenseur hermétiquement close, a tué le patron, puis, par un moyen tout aussi impossible, s'est échappé. Mais comment a-t-il fait, pouvez-vous me le dire? Nous voici retombés dans le même cercle infernal.

Si Hornbeam avait vu la lueur qui s'alluma soudain dans le regard qui le fixait avec tant d'intensité, il eût deviné ce qui allait suivre. Mais l'inspecteur regardait toujours le revolver.

– Je vais vous avouer quelque chose, Horry, dit-il. Une idée encore imprécise m'est venue hier lorsque vous m'avez parlé des marques autour de la blessure, ou plus exactement au bord du trou dans le veston de sir Ernest. Cette idée qui ne mènera probablement à rien m'a néanmoins tracassé toute la journée...

– Voilà un début prometteur, dit Glass un peu ému à la pensée que l'autre allait peut-être lui couper l'herbe sous le pied. Continuez!

– Non, il est encore trop tôt pour en parler. Tout de même, comme vous le disiez à l'instant, cette cabine d'ascenseur hermétiquement close... A propos, quelle signification attribuez-vous à ce terme? On dit toujours qu'une pièce ou une boîte sont fermés « hermétiquement ».

– Le thème signifie imperméable à l'air et doit son origine à Hermès Trismégiste, le fabuleux inventeur de l'alchimie.

Hornbeam réfléchit et son sourire ironique agaça prodigieusement Glass.

– Imperméable à l'air? L'interprétation ne me semble guère juste, nous nous en contenterons néanmoins. Voici donc un ascenseur hermétiquement clos; le meurtrier se trouve dans la cage et Mr Haviland est sur les lieux au moment de la détonation...

– Avez-vous la certitude que la cabine passait à son étage au moment précis du coup de feu?

– Oui, si le contact électrique était établi, mes calculs sont à peu près justes. Vous comprenez, par conséquent, que Haviland est notre témoin le plus important et l'entretien que nous allons avoir avec lui sera capital. Le train entre en gare, Horry, si nous le manquons, il est possible que nous ne le rattrapions jamais. Ouvrez l'œil, et que rien ne vous échappe pendant notre conversation.

– Comptez sur moi.

Patterson ouvrit la porte :

– Mr Haviland est là, monsieur.

XIV

Dix minutes plus tard, Haviland écrasait le mégot de sa seconde cigarette dans un cendrier et regardait l'inspecteur en chef avec appréhension. Son long corps décharné était affalé dans un fauteuil; rien ne subsistait de la vivacité, voire du cynisme qu'il avait déployé devant Glass dans une précédente occasion. Ses cheveux gris lissés couronnaient son visage émacié de dyspeptique, mais, à l'expression de son regard, on aurait dit qu'il se croyait en face du peloton d'exécution.

– Non, dit-il, inutile d'insister, voilà dix minutes que vous essayez de m'intimider par des menaces déguisées concernant la punition sévère que vous pourriez m'infliger pour vous avoir brûlé la politesse hier soir, mais vous ne me faites pas peur. Las de vous avoir attendu hier, pendant des heures, comme un écolier bien sage, je suis parti, très disposé à vous revoir le lendemain quand vous auriez le temps de vous occuper de moi, voilà tout. Mais cessons cette discussion oiseuse et parlons net : ai-je commis quelque méfait susceptible de motiver mon arrestation ?

Hornbeam sourit aimablement.

– Non, mais je pourrais vous causer des ennuis, Mr Haviland.

– Quels ennuis ?

Puis, comme Hornbeam ne répondait pas, il se permit un sourire légèrement goguenard.

– Mais, comme vous le dites, poursuivit l'inspecteur, parlons net. Sir Ernest Tallant était convaincu hier matin que vous étiez l'auteur des nombreux vols commis au temple; le saviez-vous ?

– J'aurais mauvaise grâce à le nier, dès l'instant que votre ami, ici présent, me l'a entendu dire à Bill Lester, répondit-il avec un petit salut guindé à l'adresse du Dr Glass.

– Savez-vous aussi qu'il avait l'intention de vous signifier votre congé dans l'après-midi ?

– Non, mais je m'en doutais un peu.

– Sir Ernest avait découvert dans un placard de votre bureau un modèle d'aéroplane Bristol Bulldog brisé en morceaux.

– Dites-moi, inspecteur, ai-je l'air d'un homme qui s'amuse à voler des babioles pour les mettre en pièces ?

– Oui, dit Hornbeam à la surprise générale.

Haviland se redressa.

– Ne tablez pas sur votre apparence, c'est inutile, poursuivit l'inspecteur, je suis policier et trop averti pour m'y fier. La plupart des personnes que j'ai rencontrées au cours de ma carrière n'avaient pas du tout l'aspect qui correspondait à leur véritable personnalité. Par quel hasard ce modèle d'avion se trouvait-il dans votre bureau?

– C'était sa place. *La Mécanique pour Tous* figurant au nombre des publications que je dirige, je trouvais cet avion très dans la note. En outre, j'ai un faible pour tout ce qui marche mécaniquement : appareils en réduction, jouets, etc. C'est une véritable marotte.

Hornbeam l'entreprit ensuite sur l'entretien qu'il avait eu avec Lester, Patricia et Glass, au quatrième étage, immédiatement avant l'assassinat de sir Ernest Tallant.

– Vous affirmez qu'après les avoir quittés, vous êtes descendu quelques minutes avant le meurtre. Où êtes-vous allé?

– Dans mon bureau, au second étage.

– Votre bureau particulier?

– Oui.

– Il comporte une porte d'accès à l'ascenseur privé, si j'ai bonne mémoire?

– Votre don d'observation est infaillible, inspecteur, rien ne vous échappe.

– Qu'avez-vous fait en arrivant, Mr Haviland?

– Je me suis assis à ma table pour réfléchir.

– Avez-vous entendu la détonation?

– Oui.

Affalé dans son fauteuil, jambes croisées, Haviland attachait sur l'inspecteur un regard d'une telle fixité qu'on l'aurait dit hypnotisé. Le Dr Glass sentit une tension, d'abord assez vague, mais qui croissait rapidement.

– Vous étiez assis à votre table au moment de la détonation ?

– Non, vous ne m'écoutez pas, je n'ai pas prétendu cela.

– Eh bien, qu'avez-vous à dire, Mr Haviland ?

L'interpellé eut une légère crispation des lèvres.

– Tout bien réfléchi, il m'apparut opportun de prendre des forces en buvant un peu de whisky. Le vieux – pardon, sir Ernest –, en descendant inopinément me faire une visite un peu plus tôt, m'avait empêché d'aller prendre l'apéritif à l'heure habituelle. Je conserve toujours, en cas d'imprévu, une petite bouteille de whisky que je cache derrière un tableau placé au-dessus de la porte de l'ascenseur. J'étais monté sur une chaise et je prenais la bouteille derrière le tableau lorsque j'ai entendu le coup de feu.

– Où se trouvait la cabine à cet instant ?

– Ah ça ! je serais bien en peine de vous le dire. Elle descendait après avoir passé mon étage, je ne l'ai pas vue.

Il y eut un silence à peine perceptible. Hornbeam crayonnait sur un buvard.

– Vous l'aviez cependant vue passer devant vous, Mr Haviland ?

– Non.

Hornbeam posa son crayon.

– Vous étiez devant la porte de l'ascenseur, une porte comportant un panneau vitré de quarante-cinq centimètres de haut, et vous prétendez n'avoir pas vu passer la cabine ?

– Parfaitement. Me prenez-vous donc pour un imbécile, inspecteur ? Le patron avait essayé vainement de découvrir ma cachette et je le savais vexé de ne pas avoir réussi. Au moment où, debout sur ma chaise, j'allais soulever le tableau pour prendre ma bouteille, j'ai entendu le bruit de l'ascenseur. Allais-je permettre à sir Ernest de m'apercevoir dans cette situation? Vous conviendrez que ç'aurait été absurde; il serait immédiatement entré pour voir ce que je faisais.

– Quel parti avez-vous pris?

– Ma chaise ne se trouvait pas exactement en face de la porte – je suis obligé de redresser votre erreur –, mais un peu à gauche; je n'ai eu qu'à m'appuyer contre le mur pendant que l'ascenseur passait.

– Vous avez bien regardé par la vitre?

– Non.

– Pas même après le passage de la cabine?

– Non, pas même à ce moment.

On entendit un léger soupir. Grey Haviland paraissait sincère; l'inspecteur reprit d'un ton détaché :

– Avez-vous enfin bu votre whisky, Mr Haviland?

– Non, je n'en ai pas eu le temps. Au moment où j'atteignais à nouveau ma cachette j'ai entendu la détonation et un fracas de verre brisé.

– Vous étiez seul dans votre bureau?

– Oui.

– En êtes-vous bien sûr? demanda Hornbeam avec une âpreté soudaine.

– Certain.

– Alors pourquoi avez-vous ri au moment du coup de feu?

– Ri?

– Vous avez bien entendu, Mr Haviland.

Une expression d'ahurissement total passa sur le visage de Haviland. On aurait dit qu'il avait mis son cerveau au point mort en attendant de savoir dans quelle direction il convenait de l'orienter. Glass avait déjà vu ce même regard chez d'autres lorsqu'on leur posait une question embarrassante. Mais Haviland se ressaisit.

– Vous déraillez, dit-il, je n'ai pas ri.

Hornbeam se leva et alla ouvrir une porte de l'autre côté de la pièce.

– Veuillez entrer, miss Wicks, dit-il.

Après un bref coup d'œil à Haviland, Angèle Wicks baissa obstinément les yeux. C'était la première fois que Glass la voyait debout, elle lui parut plus grande qu'il ne l'imaginait. L'anguleuse divinité avait perdu beaucoup de son assurance. Il serait inexact de dire qu'elle était effarouchée, mais son visage anxieux, tendu, montrait assez qu'elle avait conscience de la présence de l'autre.

Haviland s'était dressé d'un bond.

– Voulez-vous avoir l'obligeance, miss Wicks, de dire à ce monsieur ce que vous m'avez raconté ?

– Je suis navrée, Mr Haviland, dit-elle d'un ton volontairement mesuré. Et je n'aurais certainement pas parlé si je n'y avais été obligée, vous le savez bien... (Elle leva les yeux.)... mais je suis sûre que vous pouvez avoir en l'inspecteur une entière confiance : il est le neveu du chanoine Hornbeam, et, dès le premier instant où je l'ai vu, j'ai senti que l'on pouvait se fier à lui. Il est temps de redresser les erreurs, on s'est jusqu'ici suffisamment mépris sur vos intentions !

Elle joignit involontairement les mains et la ferveur muette du geste éclaira soudain le Dr Glass. Angèle Wicks considérait Haviland – lequel se voyait probablement sous le même jour – comme une sorte de héros romantique, qui, tel un Byron ou un Monte-Cristo, bravait ouvertement l'opinion du monde. Leur sincérité de part et d'autre était évidente, tous deux se grisaient du même idéal. De tels êtres finissent toujours par se rencontrer et, à considérer l'attitude de Haviland vis-à-vis de son admiratrice, si l'idylle ne finissait pas devant l'autel avec la bénédiction du doyen de Barchester, c'est que Glass avait perdu toute notion des symptômes amoureux.

La question de Hornbeam allait le ramener en pleine réalité.

– Eh bien, dites-nous ce qu'il en est !

Haviland fut instantanément sur la défensive.

– Ce qu'il en est ? Je ne comprends toujours pas. Que voulez-vous savoir ?

– Oh ! je vous en prie, parlez, dit miss Wicks. Si vous couvrez quelqu'un...

– Pour être tout à fait sincère, lui dit Haviland avec dignité, je dois reconnaître vous avoir caché une partie de la vérité. Lorsque vous m'avez apporté les manuscrits, je vous ai dit que je redressais un tableau, or ce tableau – je l'avoue à ma grande honte – dissimulait une bouteille...

Miss Wicks leva les yeux.

– Oui, dit-elle, je l'avais deviné en vous voyant retirer précipitamment la main et mettre des pastilles de menthe dans votre bouche. Mon impression s'est confirmée lorsque vous avez parlé de végétations adénoïdes.

– De végétations adénoïdes ! dit Haviland ahuri.

– Parfaitement, affirma miss Wicks, et, à la vérité, je... je trouve réellement excessif de montrer tant de sévérité aux personnes qui éprouvent le besoin de prendre un peu d'alcool de temps à autre. N'est-ce pas votre avis ? C'est même d'un ridicule achevé...

– Je vous remercie, miss Wicks, nous n'avons plus besoin de vous, dit Hornbeam.

– Mais...

L'inspecteur ouvrit la porte et l'invita courtoisement à sortir, puis, les poings sur les hanches, il marcha sur Haviland.

– Saurons-nous enfin la vérité maintenant? dit-il. Vous aviez affirmé il y a deux minutes n'avoir pas eu le temps de prendre la bouteille, c'est un premier mensonge; allez-vous rectifier les autres?

– Si vous insistez..., fit Haviland avec calme.

Il s'assit et éteignit sa troisième cigarette.

L'expression de son regard inquiéta le Dr Glass. Elle était trop résolument moqueuse, et, pour la première fois, laissait paraître une certaine méchanceté.

– J'avais l'intention de vous laisser cuire dans votre jus, espérant que l'attente vous serait salutaire, mais, puisque vous avez décidé d'entendre à tout prix la vérité, la voici : oui, vous avez devant vous le misérable qui a osé rire et vous désirez probablement qu'il vous donne une raison plausible de son hilarité?

– Je veux la vérité.

– Entendu. Questionnez-moi de nouveau et je vous répondrai sans ambages.

Hornbeam prit son carnet.

– Avez-vous vu passer l'ascenseur?

– Oui, j'étais debout sur ma chaise et venais de lamper une petite gorgée de whisky. Lorsqu'il est passé j'ai risqué un œil.

– Avant ou après la détonation?

– Avant, elle ne s'est produite que deux ou trois secondes plus tard. Au moment du coup de feu, comme je vous l'ai véridiquement affirmé tout à l'heure, la cabine était hors de vue.

– En ce cas, pourquoi avez-vous ri? Qu'avez-vous trouvé de si drôle?

– Ce que j'ai vu dans la cabine au moment de son passage. Il y avait de quoi rire, je vous en réponds!

– Expliquez-vous.

– J'ai aperçu dans l'angle droit sir Ernest Tallant assis par terre, les jambes étendues et la tête baissée comme s'il était fin saoul.

Dehors, le bruit de la circulation n'était plus, en cette fin d'après-midi, qu'un grondement étouffé, mais le Dr Glass, en se laissant choir, de saisissement, à la renverse avec son fauteuil, réveilla les échos. Un long silence succéda à ce tapage. Hornbeam toussa pour s'éclaircir la voix. Son regard avait une singulière expression.

– Vous prétendez que sir Ernest était par terre avant la détonation ?

– Je l'affirme.

– Vous voulez dire qu'on l'avait déjà assassiné ?

– Vous m'en demandez trop, je sais seulement qu'il n'a pas bougé.

– Précisons, dit Hornbeam. D'après vous il y aurait donc eu deux coups de feu : le premier que l'on n'aurait pas entendu et un second qui fracassa le ciel vitré après le crime ?

– C'est une interprétation fantaisiste de mes paroles, riposta froidement Haviland. Je n'ai fait que vous dire ce que j'avais vu.

– Eh bien, vous avez vu sir Ernest, n'est-il pas vrai ? Avez-vous remarqué le trou fait par la balle dans son veston ?

– J'ai très bonne vue, répondit Haviland en posant sur l'inspecteur un indéchiffrable regard, une vue excellente, oserais-je dire. Mais souvenez-vous, je n'ai fait que risquer un œil, insister eût été imprudent. J'ai entrevu la scène dans un éclair et c'est uniquement grâce à ma position exceptionnelle sur cette chaise que j'ai pu le voir en regardant de haut en bas.

– Il portait un complet gris clair sur lequel les

taches de sang sont très apparentes. Les avez-vous remarquées ?

Haviland réfléchit.

– Attention ! dit-il, vous finirez par me mettre de fausses idées en tête. Pas une seconde, je n'ai imaginé qu'il puisse être mort, sans quoi je n'aurais pas ri. On a beau se faire une assez piètre idée de l'espèce humaine et avoir assez fréquenté le cinéma pour se cuirasser d'indifférence, il ne s'ensuit pas que la vue d'un cadavre soit particulièrement réjouissante. Je n'en suis pas encore là. Mais il avait certainement l'air... affalé, comme une poupée vidée de son rembourrage. Il me semble aussi qu'il y avait... non, je refuse de m'avancer davantage.

– Vous n'avez rien à ajouter ? Réfléchissez bien.

– Non.

Hornbeam se leva.

– Mr Haviland, dit-il, j'ai encore de nombreuses questions à vous poser, mais j'ai besoin de quelques minutes de réflexion. Veuillez passer dans la pièce voisine où vous attendrez que je vous appelle. Patterson ! Ah ! bien ! Merci beaucoup...

– Bonté divine ! s'écria l'inspecteur en se laissant tomber comme une masse dans son fauteuil, après le départ de Haviland.

Le Dr Glass tournait à grandes enjambées autour de la table.

– Le lascar ment avec effronterie, déclara Hornbeam.

– Mais non, Dave ! Il dit la vérité.

– C'est impossible. Impossible ! vous dis-je, cela détruirait tous mes calculs.

– Et alors ? Ce n'est pas parce que vous avez tracé de beaux petits chiffres en noir sur blanc qu'ils doivent être nécessairement exacts.

– Evidemment, mais si je tâtonne parfois pour trouver mon chemin, j'aime savoir où il mène. Si nous admettons l'histoire de Haviland, il ne nous reste aucun fait palpable. Non seulement nous ignorons toujours comment le meurtrier est entré et sorti de la cage d'ascenseur, mais nous ne savons même plus quand le coup mortel a été tiré.

– Ce n'est pas tout à fait mon avis, dit Glass. Mais assez gémi, mon vieux, préparez-vous à recevoir une bonne nouvelle; voulez-vous que je vous indique la seule et unique manière par laquelle le crime a pu être commis ?

– Non, fit Hornbeam. Trêve de sornettes, je ne m'y laisserai plus prendre. Ne vous ai-je pas prévenu hier soir...

Le Dr Glass tira sa montre.

– Vous perdrez au moins une heure à me dire ce que vous pensez de mon intelligence, de ma valeur personnelle et de mes capacités géniales, alors qu'en cinq minutes vous pouvez apprendre la vérité. La question d'une erreur possible ne se pose pas cette fois.

– Vous croyez ?

– Si je vous fais en outre une démonstration pratique, si je vous prouve avec un revolver et de simples cartouches à blanc que certaine personne peut avoir commis le crime de certaine manière, consentirez-vous à reconnaître que cela valait bien dix minutes de votre précieux temps ? Est-ce là une honnête proposition ?

– Oui, mais...

– Bien, dit Glass en replaçant triomphalement sa montre dans son gousset. Quand vous serez fixé nous établirons notre plan d'action. La seule question qui restera en suspens sera de savoir si nos

preuves sont suffisantes pour justifier une arrestation; vous la trancherez après m'avoir entendu.
– Mais qui est coupable?
– Helen Lake, parbleu! répondit Glass avec humeur. Je la soupçonne depuis hier soir, mais nous avons maintenant des indices assez sérieux pour l'accuser avec raison.

XV

L'inspecteur Hornbeam croisa les bras. Avec sa moustache hérissée et ses cheveux rares dressés sur la tête, il semblait prêt à soutenir un siège.
– Helen Lake? fit-il. Je pensais bien que vous jetteriez votre dévolu sur elle avant longtemps. Mais, halte-là!... il n'y a ni inhibition ni complexe dans son cas, j'espère?
– Non, c'est une affaire des plus terre à terre. Je tiens néanmoins à commencer par deux observations psychologiques. Inutile de bondir, elles vous seront très utiles pour orienter votre interrogatoire. *Primo :* il est évident que ce crime a été commis par une femme, cela saute aux yeux.
– Pas nécessairement. Pourquoi?
– Parce que l'arme a été cachée dans le lavabo des hommes.
Hornbeam se leva.
– Cela suffit, dit-il, inutile d'insister. Haviland vient de nous avouer que son cynisme n'allait pas jusqu'à tourner la mort en dérision, mais vous n'avez même pas cet élémentaire souci des convenances. Il s'agit d'un assassinat, Horry, du crime le plus grave qui soit au monde, et vous avez le front de... je ne sais pas ce que vous avez dans le ventre;

fasse le ciel que j'arrive un jour à vous rendre sérieux.

– Sérieux ? rugit Glass.

Son indignation était sincère, car il n'avait jamais été plus grave et n'arrivait plus à comprendre pourquoi l'inspecteur ne pouvait pas suivre son raisonnement.

– Croyez-vous que je n'aie pas le respect de la mort ? J'ai éprouvé la même horreur que vous en trouvant ce pauvre diable lâchement assassiné hier soir, et c'est pour cette raison que je veux découvrir son assassin. Pourquoi ce revolver a-t-il été caché dans le lavabo des hommes ? C'est bien simple : parce qu'il ne nous viendrait jamais à l'idée qu'une femme ait pu le placer là – une femme devant le bureau de laquelle passe une échelle d'incendie qui donne précisément accès au lavabo de l'étage inférieur.

– Et vous trouvez cela utile pour mon interrogatoire ?

– Certainement.

– Vous me voyez, disant à l'intéressée : « Excusez-moi, miss, mais je voudrais savoir quand vous vous êtes servie pour la dernière fois du lavabo des hommes » ?

– Si vous aviez l'esprit scientifique, cette question vous paraîtrait toute naturelle. Moi, je la poserais sans hésitation.

– Ma parole, vous en seriez capable ! J'attends la suite.

– Seconde observation psychologique : veuillez tenir compte de la tendance qu'ont les individus soumis à une grande tension d'esprit à laisser échapper, par défaut d'attention, le mot ou la phrase qui se présente naturellement à eux dans le secret de leur pensée au lieu de prononcer celui que la prudence eût exigé; vous la reconnaissez, j'espère?

Hornbeam hésita.

– Oui, cela arrive parfois.

– Quand vous avez interrogé Helen Lake sur son ultime entrevue avec Tallant, lorsqu'elle le reconduisit pour sa dernière descente, elle a répondu par inadvertance qu'elle l'avait « mis dans l'ascenseur »; miss Lake s'est reprise aussitôt : elle l'aurait « accompagné » jusqu'à l'ascenseur, mais cette substitution n'est pas naturelle, et vous le savez bien; elle donne à penser que le mot « mis » pourrait être pris au sens littéral. En d'autres termes, j'ai la conviction que sir Ernest Tallant, soigneusement adossé à la paroi de la cabine, était mort avant que l'ascenseur se mît en marche.

L'inspecteur se permit un sourire.

– Vous voulez dire qu'il y a eu deux coups de feu?

– Parfaitement.

– Et qu'une personne de l'étage supérieur – Helen Lake – aurait poussé sir Ernest dans l'ascenseur et pressé le bouton pour le faire descendre? C'est possible, j'y ai pensé.

– Vous y avez pensé!

– Certainement, Horry, c'est mon métier, mais je vois au moins cinq objections à cette hypothèse.

– Détaillez-les, je compte sur mes doigts.

– *Primo :* s'il y a eu deux détonations, comment se fait-il que personne n'ait entendu la première? *Secundo :* comment la cabine, dans laquelle se trouvait sir Ernest, a-t-elle pu être mise en route par une personne se tenant à l'extérieur? On peut faire monter un ascenseur à un étage quelconque en pressant le bouton extérieur, mais il est impossible de le faire descendre à moins d'être dedans.

Tertio : Patricia Tallant et vous-même avez vu passer la cabine. Sir Ernest, debout dans le coin, vous a paru alors dans son état normal. *Quarto :* si on admet deux coups de feu, comment a-t-on pu tirer le second dans la cage d'ascenseur? Nous revenons à notre problème initial. *Quinto :* qu'est devenu le second projectile?

– Bien, répondit Glass, je vais réfuter vos objections. Laissons de côté pour l'instant la première – nous chercherons plus tard comment le revolver a été encapuchonné pour assourdir la détonation – et attachons-nous aux actes du meurtrier. Que savons-nous de Helen Lake? Quelqu'un a-t-il vu Tallant entrer dans l'ascenseur? Non. Helen Lake – qui le reconnaît elle-même – a pris soin d'éloigner Mrs Tailleur, l'employée de la réception, sous un prétexte futile pour rester seule avec sir Ernest. Lorsque Mrs Tailleur est revenue, il n'y avait plus personne. Helen Lake prétend être retournée dans son bureau, mais qu'a-t-elle fait en réalité? Je vais vous le dire, Dave : après avoir poussé Tallant dans l'ascenseur, en ayant soin de l'adosser à la paroi de la cabine, pour qu'il se tienne droit, elle a fermé la porte, gagné rapidement par l'escalier intérieur la chambre du moteur – il ne faut guère plus de douze secondes – et envoyé la cabine au rez-de-chaussée en pressant un bouton du tableau dont le sergent Biggs vous a parlé hier soir. La seconde objection est-elle réfutée?

– Continuez.

– Attaquons la troisième : comment se fait-il que moi, au quatrième étage, et Patricia, au troisième, n'ayons rien remarqué d'anormal? La cabine met tout juste une minute à descendre du haut en bas; si Tallant, soutenu par ce parapluie sur lequel Helen Lake a tant insisté, a été bien placé, il n'a pas dû glisser à terre avant d'avoir passé devant

Patricia. Quant à la blessure... Le sang coule très lentement, quand la balle atteint directement le cœur. Enfin, j'ai vu passer la cabine, c'est entendu, mais je me trouvais au milieu d'une pièce immense, je parlais à O'Reilly, et j'ai aperçu sir Ernest d'assez loin. Patricia était placée de manière à pouvoir examiner tous les détails, mais avez-vous remarqué à quel point elle est myope?

Hornbeam fit un brusque demi-tour.

– Myope? s'écria-t-il.

Le médecin sut avoir le triomphe modeste.

– Cela m'a frappé hier soir pendant qu'elle était assise sur mon balcon, dit-il. Elle met parfois des lunettes, mais pas d'une façon constante et elle n'en portait pas immédiatement avant la mort de son oncle. Sa vue est suffisante pour les besoins ordinaires de la vie, elle remarquerait un objet à une place insolite, mais le minuscule trou d'un projectile, ou un changement d'expression sur le visage de Tallant? Sûrement pas, Dave. Ceci répond-il à votre troisième objection?

– Dans une certaine mesure; continuez.

– Pour les autres, revenons à Helen Lake. Vous voyez la situation, la victime est morte et la cabine descend, c'est très bien, mais si elle la laisse aller ainsi au rez-de-chaussée, on saura immédiatement que sir Ernest a été assassiné au cinquième étage, et elle sera arrêtée. C'est là que son plan devient d'une ingénieuse simplicité; pour éviter les soupçons elle tire un second coup.

– Comment?

– Avec une cartouche à blanc, répondit tranquillement Glass.

Hornbeam s'agita sur son siège.

– Vous vous rappelez la chambre du moteur, poursuivit le médecin, et les ouvertures faites dans le béton pour laisser passer les câbles. Nous avons conclu qu'elles n'étaient pas assez larges pour qu'on ait pu tirer par là sur la victime. Mais il faut établir une distinction entre un tir dirigé sur une cible donnée et un coup de feu tiré au hasard. Dans le premier cas, il est évidemment impossible de viser quelqu'un par une si petite ouverture, mais dans le second on peut très bien appliquer la bouche du revolver sur le trou et tirer au jugé. Vous vous souvenez que nous avons pu voir par ce trou ce qui se passait en bas.

– Oui, en effet.

– La meurtrière, qui voulait simplement produire une détonation lorsque la cabine serait descendue assez bas pour écarter tout soupçon du cinquième étage, n'a pas fait autre chose, elle s'est agenouillée à terre et a tiré au hasard avec une cartouche à blanc. Mais la chance a voulu que l'effet dépasse ses prévisions, cette idée m'est venue hier soir lorsque vous preniez avec une stupéfiante insouciance de charmantes dispositions pour tirer à la cible sur moi. Les cartouches à blanc employées pour un revolver de 45 sont chargées de poudre et de bourre extrêmement dures et pesantes. Vous êtes-vous jamais demandé pourquoi, en admettant qu'une vraie balle ait été tirée à travers le ciel vitré, celui-ci, au lieu d'être perforé d'un trou net et rond, était réduit en miettes comme si on y avait lancé une brique ? Je vais vous le dire : la matière dont il était composé n'étant pas assez résistante, c'est la bourre de la cartouche à blanc qui l'a fait voler en éclats et la décharge, tout en criblant le verre des parcelles de poudre que nous y avons trouvées, a créé l'étrange illusion d'un coup de feu tiré à travers ce plafond vitré pour tuer sir Ernest Tallant... Monsieur, je vous remercie de votre bienveillante attention.

A bout de souffle, le Dr Glass s'arrêta pour

dévisager l'inspecteur. Celui-ci paraissait ahuri. Il ouvrit la bouche pour dire quelque chose et se ravisa.

– Voulez-vous des preuves supplémentaires? dit le médecin.

– Oui, répondit Hornbeam.

– Ceci vous donne la solution d'un des problèmes les plus ardus de l'affaire. Nous nous étions demandé pourquoi on avait tiré d'en haut sur la victime au lieu de viser face à face. Or, en découvrant le corps, j'avais constaté que les fragments de verre éparpillés autour de lui étaient couverts d'une crasse provenant de leur longue exposition dans la cage d'ascenseur. Ils étaient transparents, bien entendu, surtout avec la lumière électrique...

– Oui, dit Hornbeam, surtout avec l'éclairage.

– ... mais assez sales pour qu'il soit très difficile de viser la victime à travers. La conclusion s'impose : le coup mortel n'est pas celui qui a brisé le ciel vitré, c'est Helen Lake qui est coupable, Helen Lake, entendez-vous? j'en suis sûr...

– Chut! fit Hornbeam en jetant un coup d'œil inquiet du côté de la porte. Du calme, Horry, il est inutile d'ameuter toute la maison d'autant que vos propos tiennent pour l'instant de la diffamation. Pourquoi aurait-elle commis ce crime?

L'image de la plantureuse blonde s'imposa à l'esprit de Glass.

– Psychologiquement parlant...

– Non, dit Hornbeam avec autorité.

– Puisque vous ne pouvez suivre qu'une seule ligne de raisonnement, je vais vous citer un mobile qui soit dans vos cordes : le vieux a légué à Helen Lake une coquette fortune.

– Elle l'aurait tué pour hériter?

– C'est possible. Vous l'avez vue : cette femme-là, c'est de la dynamite prête à exploser. Songez aux longues années de dépendance qui ont développé chez elle un complexe d'infériorité et le désir croissant d'y échapper... songez à ces richesses à portée de sa main...

– Oui, mais en ce cas, pourquoi tuer Corinth ?

– Evidemment, c'est une objection.

– Une objection puissante car, Corinth vivant, elle avait une chance inespérée de pouvoir toucher son héritage et de disparaître ensuite sans éveiller les soupçons, puisqu'il souhaitait son départ. Il lui aurait offert un dîner d'adieu et beaucoup de bonnes paroles. Pour quel motif l'aurait-elle tué ?

– Chaque fois que je vous donne des arguments d'ordre pratique, fit Glass, vous contre-attaquez habilement avec des raisonnements psychologiques de bas étage. Je maintiens que je vous ai donné la seule explication de l'impossible et résolu ainsi le problème.

Hornbeam se gratta le menton.

– Oui, dit-il, vous avez en effet résolu le problème.

– Vous admettez donc l'exactitude de ma reconstitution ?

– Pas du tout, elle est intégralement fausse. Mais vous n'avez jamais fait mieux, car, si cette situation est erronée, je suis néanmoins certain que vous avez trouvé la seule explication possible.

Pris de soupçon, Glass le regarda dans les yeux.

– Si nous devons entrer dans le domaine des paradoxes, il faut me laisser la parole, Dave, car vous n'y connaissez rien. Où voulez-vous en venir ? Je ne comprends pas.

Au large sourire qui s'épanouit sur le visage de Hornbeam, Glass comprit qu'il devait s'attendre au pire.

L'inspecteur – comme toute sa génération – avait été nourri de Shakespeare et, depuis quinze ans, le prénom du Dr Glass fournissait à Mr et Mrs Hornbeam l'occasion fréquente d'exercer leur verve en tirant de *Hamlet* des citations opportunes. Il en était une que l'inspecteur ne manquait jamais de réciter lorsqu'il avait compris une affaire, alors que Glass en était encore aux suppositions. La célèbre citation qui commence ainsi : « Il y a plus de choses sous le ciel... » ne manquait jamais d'exaspérer le médecin.

Hornbeam y mit cette fois un accent particulièrement senti, le Dr Glass donna un violent coup de poing sur la table.

– Auriez-vous, par hasard, trouvé le mot de l'énigme ?

– Je le crois. Attention ! je n'ai pas dit « je suis sûr », mais l'idée m'est venue hier et vous venez de la confirmer. Je vous répète : « Il y a plus de choses... »

– Ma philosophie, quelles que soient ses chimères, n'attribue pas une place d'honneur aux parasites qui volent les idées des autres et refusent par surcroît de leur donner des explications. Ce sont des traîtres, des malotrus dont on ne saurait assez se préserver. Quelle idée, engendrée par ma logique, m'avez-vous chipée, vieux renard ? Mon raisonnement comporte-t-il des failles ?

– Oui.

– Par exemple ?

– Lorsque ce ciel vitré fut brisé, la cabine se trouvait à environ vingt-cinq mètres de la chambre du moteur. Vous n'allez pas me faire croire qu'à cette distance une bourre de cartouche à blanc avait encore assez de force pour faire voler en éclats une vitre épaisse de trois centimètres ? En outre, vous semblez avoir oublié une autre de vos constatations au sujet de ce même plafond de verre. Comment voulez-vous discuter sans avoir tous les arguments en main ? Le manque de précision est votre défaut capital.

– Vous affirmez cependant que je vous ai indiqué la vraie solution ?

– Oui.

– C'est trop fort ! grommela le médecin. Mais je n'ai pas encore vidé mon sac, il me reste à vous exposer la quatrième méthode, simple variante de la troisième. Dans celle-ci, Tallant, au lieu d'être tué à l'étage supérieur, ne reçoit le coup mortel qu'en arrivant au rez-de-chaussée; le meurtrier ouvre la cabine et braque son revolver sur lui, il ne peut être par conséquent que le portier Hastings. Le plafond brisé reste un incident destiné à égarer nos soupçons. Y suis-je cette fois ?

– Non, vous aimez tellement les complications que jamais il ne vous viendra à l'esprit de choisir la solution la plus simple.

– C'est rigoureusement faux.

– Possible, mais vos fameuses méthodes impliquent toutes la nécessité pour le meurtrier d'accomplir des actes absurdes – faire marcher un aspirateur, tirer une cartouche à blanc – qui ne correspondent pas du tout à sa mentalité. J'ai beau n'être pas psychologue, je ne vois pas Helen Lake dans ces situations ridicules. Et vous ?

Le Dr Glass répondit par un grognement, car, dans le fond de son cœur, il reconnaissait le bien-fondé de l'objection. Mais il entendait ne pas perdre la bataille.

– Eh bien, qu'avez-vous à proposer en échange ?

– Voici, dit Hornbeam. Haviland a-t-il vraiment des végétations adénoïdes ?

Glass le considéra avec effarement, mais Hornbeam n'avait rien d'énigmatique ni de mystérieux. Il posait une question franche concernant un fait palpable. Bien souvent, en d'autres circonstances, l'imaginatif médecin avait dû s'avouer vaincu par le sens pratique de l'autre.

– Comment diable le saurais-je? répondit Glass. Pourquoi ne le lui demandez-vous pas?

– J'en ai bien l'intention, mais sa voix n'indique rien de semblable, et il faut envisager aussi la question du revolver. Celui-ci... (Hornbeam toucha l'étui du pied.)... est un Webley moderne en parfait état. Lester nous l'a fait remarquer, vous vous en souvenez?

– Oui.

– En outre, ne perdons pas de vue que les six cartouches ont été tirées. Le fait est significatif, il le devient encore plus si on réfléchit à l'endroit où l'arme a été cachée et si on le rapproche de la boîte de chocolats à la menthe.

Le Dr Glass prit sa tête à deux mains et jura, sacra, tempêta pendant une bonne minute. Mais il était beau joueur.

– Vous le méritiez, dit-il, et cette explosion m'a soulagé. Bien que je vous soupçonne parfois de vous payer ma tête, je sais que vous prenez votre métier au sérieux. Que diable viennent faire ces bonbons dans l'affaire?

– Avez-vous jamais mangé des chocolats à la menthe Black Beauty?

– Non... vous pensez probablement aux bonbons à la menthe que suçait Haviland au moment de la détonation?

– Nous ignorons si c'étaient des chocolats, dit l'inspecteur, j'aurais bien fait de le lui demander. Mais Nelly adore ces bonbons et je me suis rappelé, pour en avoir vu entre ses mains, que la boîte porte en lettres blanches hautes de six à sept centimètres la mention « Black Beauty Chocolate Peppermints ». Il faut tenir compte également du motif pour lequel ce modèle d'avion a été si soigneusement détérioré. Nous n'y avons pas assez prêté attention, pas plus qu'aux autres mutilations, et je me demande...

Il réfléchit un instant en silence, puis il alla ouvrir la porte.

– Patterson !

– Monsieur ?

– Miss Lake est-elle arrivée ?

– Oui, monsieur, ils sont tous là maintenant.

– Bien, envoyez-moi immédiatement Mr Haviland, et priez miss Lake de venir nous rejoindre ici.

XVI

Le Dr Glass se demandait, non sans inquiétude, si sa dernière hypothèse allait être exposée dans tous ses détails à la majestueuse miss Lake. Non qu'il redoutât précisément la fureur de son regard, mais il commençait à avoir sur le bien-fondé de sa théorie des doutes que l'apparition de la jeune femme suffit à renforcer.

Haviland, toujours goguenard, fumait ses éternelles cigarettes. Il se leva en l'apercevant. Helen Lake, toute de noir vêtue, avec un soupçon de blanc au col et au chapeau, entra d'un pas mesuré. Son beau visage un peu lourd avait repris son calme, et, pour la première fois, le Dr Glass remarqua qu'elle avait un double menton. Après un salut distant à Haviland, un autre plus distant encore à l'adresse de Glass, elle accepta le siège que lui avançait Hornbeam.

– Vous sentez-vous mieux aujourd'hui, miss Lake? lui demanda presque gaiement l'inspecteur.

– Oui, répondit-elle en lui lançant un regard direct, je vous remercie.

Il redevint aussitôt sérieux.

– Vous savez ce qui est arrivé à Mr Corinth?

– Naturellement, répondit Helen Lake en lançant sur la table un journal froissé. Personne ne l'ignore en Angleterre! C'est épouvantable. Epouvantable! répéta-t-elle en haussant le ton. Pourquoi m'avez-vous fait venir ici, Mr Hornbeam?

– Je vais être malheureusement obligé de vous ennuyer à nouveau; notre conversation d'hier a été interrompue...

– J'ai été ridicule.

– Pas du tout, votre émotion était bien compréhensible. Mais nous sommes obligés d'aller au fond des choses, et cette nécessité est rendue plus impérieuse encore par la mort de Mr Corinth. Que savez-vous de lui, miss Lake?

Elle hésita.

– Très peu de chose si je comprends bien le sens de votre question. Je ne sais rien de sa vie privée; il était marié et habitait St. John's Wood, non loin de mon domicile, mais je ne l'ai jamais vu en dehors des heures de bureau. Il faisait partie de la maison depuis huit ans et avait été nommé rédacteur en chef il y a cinq ans. Sir Ernest avait une haute opinion de ses capacités.

– Que pensiez-vous de lui?

– Dans la sphère d'activité qui lui était propre, c'était un excellent collaborateur.

– Aurait-il été à sa place comme directeur général? Et était-il sage, à votre avis, de lui confier l'administration complète de la maison?

Elle eut de nouveau cet imperceptible mouvement d'épaules, si bizarre dans son apparente immobilité.

– La question ne se pose pas puisqu'on la lui avait confiée.

– Aviez-vous l'intention de continuer à travailler ici sous la direction de Mr Corinth?

– Naturellement, fit-elle avec une surprise non feinte. Où voulez-vous que j'aille? Cette maison est toute ma vie. Après treize années de collaboration constante, rien d'autre ne saurait m'intéresser.

– C'est juste. Nous avions précisément laissé cette question en suspens hier. Vous êtes, par conséquent, la plus ancienne employée.

– Dans la branche littéraire, Mr Pluckley est ici depuis plus longtemps que moi, car il était propriétaire, à l'origine, du magazine que sir Ernest a repris pour commencer les Editions Tallant. On lui a offert au dîner du jubilé d'argent une médaille commémorative pour vingt-cinq années de bons et loyaux services. Mr Mac Andrew est presque aussi ancien que moi et Hastings a débuté avec nous comme garçon de bureau. Aucun de nous, j'en suis certaine, ne souhaiterait quitter la maison.

Hornbeam lança timidement :

– Mr Corinth avait cependant des idées un peu différentes.

– Je ne comprends pas ce que vous voulez dire, répliqua vivement la jeune femme.

Hornbeam se répandit en explications. A mesure qu'il parlait, l'attitude de miss Lake se transformait, passant de la stupeur guindée au mépris. L'inspecteur, qui observait ses réactions, ne perdait pas de vue Haviland, qui semblait avoir perdu son cynisme coutumier.

– Puis-je vous demander si j'étais compris dans cette liste d'exécution? dit-il en rejetant, tel un dragon, deux jets de fumée par les narines.

– Non, Mr Corinth voulait au contraire étendre vos attributions.

– Pas possible! Il vous l'a dit?

– Oui, très peu de temps avant sa mort. Il comptait vous confier le lancement de publications un peu légères, répondit Hornbeam d'un ton détaché. (Il ajouta, très naturellement, en se tournant vers miss Lake :) Mr Corinth paraissait croire, étant donné votre héritage, que vous seriez désireuse de quitter la maison.

– Je n'ai pas besoin de vous dire qu'une telle intention ne m'a jamais effleurée, fit-elle.

Glass sentit que miss Lake tremblait de rage sous sa dignité de commande. Depuis de longues années elle n'avait pas été soumise à pareille humiliation. Ses yeux lançaient des éclairs. Le médecin craignit de la voir perdre à nouveau son sang-froid. Et Hornbeam, l'imbécile! qui appuyait sans merci sur le point sensible!

– Sir Ernest aurait-il, à votre avis, approuvé ces changements?

– Je suis certaine qu'il se dresserait dans son cercueil à la seule idée qu'ils pussent être envisagés, répondit-elle.

– A l'idée que certains d'entre nous pourraient avoir un emploi plus intéressant? demanda Haviland d'un ton suave.

Elle ne daigna même pas le regarder.

– J'en connais qui ne seraient évidemment pas fâchés d'améliorer leur situation, dit-elle. Inspecteur, cette histoire est la plus stupéfiante, la plus répugnante que j'aie jamais entendue!

– Je tenais surtout à savoir si sir Ernest n'avait aucun de ces changements en tête, reprit Hornbeam. Prenons Mr O'Reilly, par exemple; ne songeait-il pas à s'en débarrasser?

Elle réfléchit avant de répondre.

– Je lui ai entendu mentionner le fait, dit-elle enfin, mais ne crois pas qu'il ait envisagé cette mesure sérieusement, pour le moment du moins. Du reste je n'ai jamais compris – et sir Ernest partageait ma façon de voir – pourquoi l'aptitude d'une personne à remplir une fonction devrait être nécessairement jugée selon son expérience personnelle. Il ne s'agit pas de s'indigner que Mr O'Reilly, directeur d'une collection d'aventures, n'ait jamais marqué de troupeaux au fer rouge et ne sache pas manier un revolver – combien d'éditeurs sont plus avancés que lui? – mais simplement de savoir s'il est capable de fournir à notre clientèle son genre de lecture préféré. Nous n'avons pas mis un meurtrier à la tête de notre collection de romans policiers... espérons-le, du moins! et nos livres éducatifs n'ont pas été confiés, hélas! à une personne de haute culture.

– Et Mr Lester, sir Ernest voulait-il s'en séparer?

– Jamais de la vie, répondit miss Lake avec autorité. Mais, pendant que nous sommes sur ce chapitre, j'aimerais aller jusqu'au bout. Miss Patricia devient, je le présume, notre chef? Puis-je vous demander si miss Tallant approuve la façon de voir de Mr Corinth?

– Mieux vaut nous en assurer immédiatement, dit Hornbeam. Patterson! Priez donc miss Tallant de venir jusqu'ici.

Attention! se dit Glass qui, averti par un secret instinct, sentait l'orage s'amonceler.

On entendait la respiration précipitée de Helen Lake. Hornbeam aborda un autre aspect du problème.

– Vous nous avez dit, si je ne m'abuse, miss Lake, que vous aviez « mis » sir Ernest dans l'ascenseur immédiatement avant le meurtre?

– C'est exact.

– Bien. Encore une question importante que mes notes ne me permettent pas d'élucider complètement : je lis qu'après avoir « mis sir Ernest dans l'ascenseur » vous êtes retournée dans votre bureau. N'avez-vous pas attendu le départ de la cabine et une partie de sa descente avant de rentrer chez vous?

Elle parut embarrassée.

– Non, je me suis éloignée dès qu'il a fermé la porte.

– Sir Ernest était-il alors dans son état normal, miss Lake?

– Je ne comprends pas le sens de votre question.

– Mr Haviland, ici présent, nous a dit..., commença Hornbeam.

Il se lança dans une explication complète. Il parlait encore avec un luxe de détails excessif lorsque Patricia Tallant entra et s'arrêta près de la porte pour écouter. Haviland paraissait goûter la saveur du récit, mais miss Lake avait l'air de ne pas croire ses oreilles.

– Mort avant la détonation! dit-elle en martelant ses mots. Me sera-t-il permis d'exprimer mon opinion, Mr Haviland?

– Certainement.

– Je n'ai jamais rien entendu de plus absurde, déclara-t-elle en foudroyant Haviland du regard. Il y aurait donc eu un second coup de feu dans la cage de l'ascenseur?

Hornbeam poursuivit sur le ton de la plaisanterie :

– Il n'était pas mort, je suppose, avant de descendre en ascenseur ?

– Certes pas !

– Vous voyez où cela nous mène, dit Hornbeam avec une apparente bonhomie. Sir Ernest est vivant en quittant le cinquième étage. Le Dr Glass, ici présent... (Il lança un coup d'œil d'avertissement au médecin)... qui se trouvait précisément au quatrième, a vu passer la cabine et certifie que Sir Ernest était toujours en vie. Est-ce vrai, docteur ?

Jamais le visage de Hornbeam n'avait revêtu expression plus sereine, plus innocente; on l'aurait cru uniquement soucieux de découvrir la vérité. A la pensée de l'esprit tortueux qui se cachait sous des dehors si bon enfant, Glass fut tenté de répondre « non », mais d'un regard l'inspecteur sut le rappeler à l'ordre.

– Oui, c'est vrai, répondit-il.

– Nous voilà donc fixés : sir Ernest était vivant en passant au quatrième, or, à en croire Mr Haviland – qui paraît sûr de son fait – il était assis par terre dans la cabine, et probablement déjà mort en arrivant au second étage. D'après ce témoignage, on peut conclure avec certitude qu'il lui est arrivé malheur pendant qu'il franchissait le troisième étage – il n'y a pas d'autre explication, n'est-ce pas ? Le troisième étage est occupé par miss Tallant qui se trouvait précisément, nous a-t-elle dit, près de la porte de l'ascenseur.

Patricia avait fait un pas en avant. Les poings sur les hanches, les yeux flamboyants de colère, elle s'écria d'un ton bizarrement enfantin :

– Grey Haviland, vous n'êtes qu'un menteur !

Haviland jeta un coup d'œil rapide sur le groupe.

– Cela m'a tout l'air d'un coup habilement

monté, fit-il. N'allez pas croire ce qu'on vous raconte, Pat, j'ai dit simplement...

– Je croyais avoir compris ce que vous m'aviez raconté; me serais-je trompé? riposta vivement Hornbeam.

– Non, mais...

– C'est l'un ou l'autre, il faut choisir. Oui ou non, m'avez-vous certifié que sir Ernest était assis à terre en passant devant vous?

– Oui, mais...

– Nous savons qu'il était debout et en bonne santé en passant au quatrième étage, car je suis bien obligé de croire notre médecin légiste. Il n'a rien à perdre ou à gagner en donnant son impression et un médecin sait reconnaître un mort d'un vivant. Nous sommes donc nécessairement conduits à conclure, d'après votre témoignage, qu'il est arrivé malheur à sir Ernest pendant qu'il passait devant miss Tallant. C'est une grave accusation à porter contre quiconque, monsieur, et plus spécialement lorsqu'il s'agit de votre employeur.

Haviland jeta sa cigarette. Son visage avait pris de nouveau l'air hébété d'un homme qui cherche à arrêter le tourbillon de ses pensées tant qu'il n'a pas trouvé d'échappatoire. Mais il se ressaisit :

– N'ajoutez pas foi à ce bluff éhonté, Pat. Ils n'oseront jamais incriminer ni vous ni personne avant de pouvoir démontrer comment le meurtrier a pu pénétrer dans la cage d'ascenseur, et je les défie bien d'y arriver.

– Il ne s'agit pas de l'ascenseur, dit froidement Patricia. La question est de savoir si vous avez vraiment dit cela de moi?

– Parlez sans crainte, Mr Haviland, dit Hornbeam.

– Je n'ai jamais eu l'intention de vous accuser,

grommela Haviland entre ses dents. Je n'ai même pas pensé à vous, ni prononcé votre nom.

Hornbeam secoua la tête.

– Je vais être obligé d'en référer à mes supérieurs; nous verrons ce qu'ils décideront. Quelle est votre opinion, miss Tallant : sir Ernest était-il encore en vie en passant devant vous?

– Bien sûr!

– L'avez-vous regardé attentivement?

Patricia eut un geste d'impatience, mais Glass s'aperçut qu'elle avait conscience de s'aventurer sur un terrain mouvant.

– Je l'ai vu aussi distinctement que je vous vois.

– Avec ou sans vos lunettes, miss Tallant?

Elle parut étonnée.

– Oh!... je comprends. Peu importe, je suis sûre qu'il était vivant.

– Vous a-t-il fait un signe?

– Non, il ne m'a même pas regardée. Mon oncle se postait toujours dans son coin comme une sentinelle dans sa guérite et ne regardait jamais personne. Mais il tenait un parapluie à la main et le balançait ainsi.

Dans son émotion, Patricia donna une parodie grotesque de la scène et imita l'expression de son oncle. Helen Lake frissonna de dégoût et détourna les yeux.

– Et cependant, articula Hornbeam, d'après le témoignage de Mr Haviland, le meurtre a dû s'accomplir à votre étage.

Une sueur légère perlait au front de Haviland, qui l'essuya à la dérobée avec sa manche; mais il souriait toujours.

– Tout ceci a été mené si rapidement, dit-il d'un ton léger, que je ne sais plus ce que vous me faites dire ou qui vous prétendez me faire accuser, mais je jure n'avoir pas prononcé la moitié des paroles que vous mettez dans ma bouche. On dirait que vous prenez un plaisir extrême à me retourner sur le gril, inspecteur !

– Non, dit Hornbeam très sérieusement. (Il se leva et se plantant devant Haviland ajouta d'un ton tout différent :) Et maintenant, mon garçon, s'il vous reste une parcelle de bon sens, vous allez cesser de mentir. Qu'avez-vous vu en réalité dans l'ascenseur lorsqu'il est passé devant vous ?

– Ne vous l'ai-je pas dit ?

– A votre aise, dit Hornbeam. (Il revint à sa table et prit le téléphone; un policier s'était installé au standard dans le hall...) Passez-moi Mr O'Reilly... Allô ! Mr O'Reilly ? Ici, Hornbeam. Voulez-vous descendre au bureau de Mr Corinth, je vous attends. A propos : vous vous souvenez du modèle d'avion qui avait été jeté dans un coin ? On m'a dit que vous l'aviez emporté dans votre bureau... Oh ! très bien, apportez-le en venant, je vous prie. (Il raccrocha et, s'adressant de nouveau à Haviland :) A nous deux, dit-il en posant sur la table un étui qu'il ouvrit. Avez-vous déjà vu ce revolver ?

– Non.

– Est-ce celui de Bill ? s'écria Patricia en se reculant instinctivement.

Helen Lake avait eu la même réaction.

– Oui, miss Tallant. Nous l'avons trouvé dans les lavabos du quatrième étage, où Mr Lester soignait sa main malade au moment du crime... à moins qu'il ne soit allé prendre l'air sur le toit, choisissez. Nous avons la certitude que sir Ernest a été tué par une balle provenant de ce revolver et je demandais à Mr Haviland s'il l'avait déjà vu.

Ce fut Helen Lake qui prit la parole.

– Sir Ernest avait coutume de dire – laissez-moi

parler, inspecteur! – que la seule manière d'éviter une crise était de garder son sang-froid. Mon intervention est peut-être bien terre à terre, mais j'insiste pour que vous nous donniez des éclaircissements, avant que nous ne devenions complètement fous. Il est inutile de prétendre que nous ne sentons pas vers quel but vous vous orientez. Vous soutenez que Mr Haviland, debout sur une chaise, a vu le meurtrier dans la cage d'ascenseur?

– Mais c'est impossible! gémit Patricia en joignant les mains. Vous ne voulez pas me croire, je vous affirme que c'est impossible!

Elle courut au Dr Glass et lui prit le bras :

– Expliquez-leur. Vous êtes bien de mon avis?

– Heu!... oui, fit le médecin.

– Répondez-moi, inspecteur, reprit Helen Lake. Vous prétendez, Mr Hornbeam, que plusieurs personnes ont regardé le meurtrier sans le voir; par conséquent, ce meurtrier était invisible, c'est bien cela que vous avez dit?

– En un certain sens, répondit Hornbeam.

– Oh! fit Helen Lake sans réfléchir, connaissez-vous donc un moyen par lequel un criminel peut se rendre invisible?

– Oui, dit Hornbeam, dans le cas présent en utilisant une édition *princeps* d'Addison et une boîte de chocolats à la menthe.

Sachant que son rôle lui imposait de garder le silence, le Dr Glass refréna sa dévorante curiosité. Hornbeam, avec sa manie de prétendre que les gens ne comprennent jamais une réponse littérale et son désir d'être précis, créait plus de confusion que le médecin avec ses discours énigmatiques. Mais si les réponses de l'inspecteur paraissaient incompréhensibles aux auditeurs en général, elles avaient, de toute évidence, une signification pour

Haviland dont le visage s'était subitement décomposé.

– Souvenez-vous, ajouta Hornbeam, de ce qui subsiste sur le côté intact d'un des objets volés. On a coutume de le désigner sous un nom, mais cela peut tout aussi bien s'appeler autrement et... ah! très bien; entrez, Mr O'Reilly.

L'arrivée de O'Reilly qui, selon son habitude, laissa la porte ouverte, n'était pas faite pour apaiser les esprits. Le pauvre garçon faisait partie de ces gens dont la seule présence exaspère les personnes soumises à une grande tension : malgré sa bonne volonté, il n'était jamais d'aucun secours et semblait né pour jouer le rôle de l'éternel bouc émissaire. O'Reilly tenait sous son bras le petit avion; il ne s'attendait pas à trouver tant de monde et, sans doute pour se donner une contenance, il le plaça sous l'autre bras. Il eut un mouvement de recul en apercevant le revolver.

– Bonjour, tout le monde! dit-il. Vous désirez me parler, inspecteur? Voici le modèle d'avion.

– Montrez-le à Mr Haviland.

– Pardon?

– Montrez-le à Mr Haviland, répéta Hornbeam. Mettez-le sous son nez, je veux qu'il me dise ce qui manque à ce joujou. La mutilation existait déjà quand il l'a monté hier au quatrième pour le montrer, et je sais qu'il en a fait la remarque devant vous autres. J'attends qu'il la répète pour notre bénéfice.

Haviland s'était levé de nouveau. D'un geste brusque il frappa l'avion miniature qui échappa à O'Reilly; puis il fit face à l'inspecteur.

– Il n'y a pas de raison pour que je joue plus longtemps ce jeu dangereux, dit-il. Vous m'avez pris à la gorge, mais je ne me laisserai pas étouffer. Vous avez gagné la partie, inspecteur, je vous demande seulement de me dire ce qui m'attend si je dévoile maintenant la vérité.

– Vous n'avez rien à redouter.

– On ne me poursuivra pas?

– Non, dit Hornbeam de l'air de quelqu'un qui, maniant un explosif, espère que le moment dangereux est passé. On vous demandera simplement votre témoignage en justice.

– Grey! s'écria Patricia, est-il possible que vous sachiez?

– Oui, répondit Haviland. Entendu, inspecteur, je dois me fier à votre parole, de même que vous êtes obligé d'ajouter foi à la mienne. Faites sortir tout le monde et je vous révélerai comment le meurtrier a procédé.

On a dit plus haut que George Patrick O'Reilly avait laissé la porte ouverte. Le Dr Glass regardait machinalement au-delà de la vaste antichambre contiguë, également ouverte, sur le hall du temple Tallant. L'inspiration naît souvent d'actes irréfléchis. Pendant les derniers propos de Haviland, le médecin avait porté son regard sur le bureau de renseignements, situé dans le hall, et au-delà. Ce qu'il vit provoqua un tel éclair de compréhension dans son cerveau que les derniers mots de Haviland se perdirent dans le tourbillon de ses idées. Transmission de pensées, dira-t-on, car Hornbeam connaissait le nom du meurtrier et Haviland l'avait peut-être dans l'esprit. Mais d'une façon plus prosaïque on peut affirmer que Glass, après avoir vu, comprit subitement et qu'à son exclamation tous les visages se tournèrent vers lui.

Il avait trouvé la solution du problème, et cette fois, aussi étrange que cela puisse paraître, elle était exacte.

3

Extraits du cabinet de l'inspecteur en chef Hornbeam

> Bertillon a dit très judicieusement : On ne voit que ce que l'on observe, et l'on observe uniquement ce que l'on a déjà dans l'esprit.
>
> Sodermann et O'Connell : *l'Enquête criminelle moderne.*

(Complément d'information noté le jeudi 12 mai, à 8 heures du soir.)

Le rapport de l'expert armurier sur le projectile ayant provoqué la mort de Corinth constate :

a) Ce projectile est une balle de revolver Webley 45 et a été tiré par une arme à feu de cette marque;
b) Ce projectile et la pièce à conviction n° 33 ont été tirés par la même arme.

Revolver d'ordonnance Webley, gravé aux initiales W.G.L., découvert dans réservoir de chasse d'eau au 4e étage (lavabos des messieurs) et soumis à l'expertise de l'armurier qui constate :

a) L'arme est sans aucun doute celle qui a tiré les deux balles;
b) Les six chambres du revolver contiennent des douilles vides ou ayant explosé;
c) Cinq de ces chambres ont été noircies par la poudre à leur extrémité, le canon également sur toute sa longueur;
d) La sixième chambre est nette et n'offre pas de trace de poudre;
e) La longue immersion du revolver empêche de

pouvoir indiquer, même approximativement, à combien de temps remontent ces traces de poudre.

Ces constatations confirment la déclaration de Lester certifiant que les six chambres étaient chargées lorsqu'il l'a confié à O'Reilly.

Le standard téléphonique servant aux communications extérieures se trouve dans le hall derrière le bureau de renseignements.

Grey Haviland est incontestablement doué d'une excellente vue et d'une vive intelligence.

D'après les notes précédemment fournies, il est dès à présent possible de déterminer : 1° l'identité du meurtrier; 2° la méthode employée par le meurtrier pour entrer et sortir de la cage d'ascenseur.

Cette reconstitution est confirmée par Haviland. C.Q.F.D.

QUATRIÈME PARTIE

DESCENTE D'UN MEURTRIER

XVII

A 9 heures et demie, ce même soir, le Dr Glass attendait la visite du meurtrier.

La pluie tombait sans arrêt depuis 7 heures, on entendait le bruit monotone des gouttes frappant le balcon, le frémissement des feuillages ruisselants au-dessous. Dans le bureau du médecin, le tic tac régulier de la grande horloge semblait battre la mesure d'un lointain concert. La lampe de travail projetait une lumière vive sur la table où un paquet de cigarettes attendait le bon plaisir du visiteur. Bouteilles et verres, préparés sur le buffet, complétaient le décor. Pouvait-on rêver endroit plus discret, plus confortable pour recevoir le sinistre plaisantin du temple Tallant ?

A vrai dire le projet que Glass entendait mettre à exécution n'était pas exempt de danger, mais il considérait cette menace avec l'imperturbable sang-froid d'un chimiste qui risque l'explosion en tentant une expérience. Son amour de la psychologie, poussé jusqu'à la manie, l'incitait à creuser un mobile jusqu'à sa racine profonde, à guetter le coup d'œil furtif, la crispation involontaire provoquée par une question indiscrète sans tenir compte des réactions possibles. Dans un coin de la pièce, la vieille machine à écrire du médecin, dépouillée de sa housse, voisinait avec de nombreuses feuilles dactylographiées portant les titres : *Mobile, Occasion, Méthode.*

Après avoir fait plusieurs fois le tour de la table, Glass s'assit à sa machine pour taper quelques lignes supplémentaires.

Depuis l'entretien que Hornbeam avait eu quelques heures auparavant avec son commissaire et le chef de la police, la plupart de ces observations avaient fourni matière à des dispositions prises en commun, mais il restait encore...

Le clavier, sous les doigts de Glass, crépita... Cette vieille machine faisait un tapage infernal ce soir. Le médecin se demanda si le locataire de l'appartement 42 n'allait pas protester. Pour une fois, la radio du 30, si bruyante d'ordinaire toutes les fois qu'on avait besoin de réfléchir, s'était tue. Peut-être une certaine nervosité rendait-elle ces contrastes plus apparents. Les mains de Glass commençaient à devenir moites.

La *Méthode.* Non, on ne pouvait guère conserver de doute...

Le tac tac reprit de plus belle et Glass mit enfin le point final. Puis il jeta un coup d'œil à l'horloge; mieux valait s'assurer que tout marchait à souhait car une fausse manœuvre pourrait être lourde de conséquences. Il prit le téléphone et composa le numéro du domicile particulier de Hornbeam, à Faling.

– Allô, Nelly?

– C'est vous, Horatio? répondit Mrs Hornbeam. Je devrais pourtant reconnaître votre voix!

– C'est un reproche, Nelly? Où est Dave?

– Il est parti en ville pour aller vous voir. Dans quelle aventure l'entraînez-vous encore, aujourd'hui?

– Mais aucune aventure, Nelly, absolument

aucune, dit Glass avec cette innocence feinte qu'adoptent toujours les amis des maris. Pourquoi ?

– Parce que les voisins protestent de nouveau, répondit Mrs Hornbeam. Dave a passé des heures dans le hangar au bout du jardin à tirer des coups de feu. Je ne me plaindrais pas des inconvénients de son métier s'il menait sa tâche plus rondement, mais il traînaille de façon exaspérante. Donnez-lui un morceau de bois pour faire un rayonnage, il s'assied d'abord pour le regarder à son aise, puis il prendra de minutieuses mesures, tournera autour pour le contempler à nouveau et sortira ensuite pour aller chercher un outil ! Passe encore pour des travaux inoffensifs et peu bruyants; mais quand il s'agit d'armes à feu, ma patience est vite à bout. Horatio, dites-moi la vérité, l'avez-vous entraîné encore une fois dans une folle équipée ?

Ainsi, il y est arrivé, se dit Glass en jetant un coup d'œil à l'horloge.

– Ne m'accusez pas, Nelly, l'idée est de lui.

– Oh ! cela ne m'étonne pas. Enfin... (Son ton se fit enjoué.) Comment va votre petite santé, Horatio ? Etes-vous en forme ? Quand vous mariez-vous ?

– Dieu seul le sait. Peut-être jamais !

– Patience ! Un de ces jours, quand vous consentirez à ne plus vous mêler perpétuellement d'horribles affaires criminelles, vous ferez la connaissance d'une jeune fille charmante, posée, raisonnable...

– Une jeune fille charmante, posée, raisonnable... Grand merci, Nelly ! Au revoir, fit Glass qui raccrocha.

10 heures moins 20 – l'heure des informations –, mais la radio du 30 demeurait silencieuse. La pluie cinglait toujours le balcon et, par la fenêtre ouverte, la brise chargée de senteurs mouillées

pénétrait dans la pièce. Ainsi Hornbeam avait essayé de reproduire les actes du meurtrier et il avait certainement découvert l'astuce, sans quoi Glass aurait été averti de son insuccès.

La sonnette retentit, on appuyait sur le bouton avec insistance.

Vingt-quatre heures auparavant, Glass avait éprouvé la même impression au son de ce timbre, et, de nouveau, il hésitait à ouvrir sa porte bien qu'il sût ce soir-là ce qui l'attendait. Il jeta un coup d'œil circulaire autour de lui pour s'assurer que l'ordonnance de la pièce était conforme à ses désirs; le timbre retentit de nouveau, il bomba le torse et, traversant l'antichambre, ouvrit la porte d'entrée.

Patricia Tallant, vêtue d'un imperméable ruisselant et d'un chapeau de feutre trempé, se dressait devant lui. Dans sa stupéfaction, le médecin sembla avoir perdu l'usage de la parole.

– Vous! dit-il enfin, la gorge serrée.

– Ne voulez-vous pas me recevoir?

– Mais si, naturellement, entrez donc!

D'un mouvement souple, elle passa devant lui. Puis, ôtant manteau et chapeau, elle rejeta en arrière ses cheveux noirs et regarda Glass d'un air mi-intrigué, mi-moqueur qui se fondit en un charmant sourire. Lorsqu'elle lui tendit ses vêtements, il les prit machinalement et finit par les poser à terre à côté du buffet.

– Il faut avouer, dit Patricia avec une moue gamine, que je ne reçois pas un accueil particulièrement chaleureux chaque fois que je viens ici. Vous savez défendre votre porte! N'auriez-vous pas une cigarette à me donner?

Glass lui désigna du geste le paquet posé sur la table et, rappelé à ses devoirs de galant homme, craqua une allumette et la lui tendit. Patricia souffla une bouffée de fumée au plafond et dit brusquement :

– Je suis venue vous rappeler votre promesse.

– Laquelle ?

– Vous m'avez juré, hier soir, que je serais la première avertie si vous découvriez l'assassin de mon oncle et le mode d'exécution de ce crime affreux.

– En effet, je m'en souviens.

– Eh bien, qu'attendez-vous ? s'écria-t-elle avant de souffler l'allumette qu'il tenait encore au bout de ses doigts. Vous étiez assez mystérieux, il me semble, cet après-midi, en retournant sur le gril ce pauvre diable de Grey Haviland pour le forcer à parler. Et quand, pressé dans ses derniers retranchements, il s'est enfin décidé vous nous avez tous mis à la porte. Puis, après de nombreuses et non moins mystérieuses conférences, vous avez emmené Grey dans une voiture de la police. Ma visite n'a d'autre but que de vous obliger à tenir votre promesse... mais je prendrais volontiers quelque chose en vous écoutant.

Elle s'assit dans le fauteuil le plus confortable et croisa les jambes. Son visage exprimait le calme et la décision.

– Miss Tallant, s'écria Glass qui avait enfin retrouvé sa voix, vous ne pouvez pas rester ici. Levez-vous, quittez ce fauteuil, entendez-vous ? Il faut partir immédiatement !

– C'est trop fort ! et pour quelle raison me mettez-vous à la porte ?

– Peu importe. Parce que je vous l'ordonne, tout simplement. Au diable cette infernale, cette maudite curiosité ! (Il passa sa main sur son front.) Où est Bill ?

– Je l'ignore et je m'en moque. Nous nous sommes disputés – il voit d'un mauvais œil ma transformation en vraie femme d'affaires et trouve que je ne devrais pas travailler.

– Vous faisiez pourtant déjà partie de la maison d'édition.

– Oui, mais Bill estime que ce n'est plus la même chose. Lorsque mon oncle était grand manitou, mon rôle se bornait à faire acte de présence sans aucune obligation de service. J'avoue avoir largement profité de cette liberté. Et maintenant, docteur, allez-vous m'expliquer la raison de votre extraordinaire courtoisie, de votre... (La voix s'étrangla de colère, car le Dr Glass, après avoir jeté un coup d'œil anxieux à l'horloge, venait de la prendre sans façon par le bras pour l'obliger à se lever. Elle se tortilla comme une anguille et échappa à son étreinte.)... de votre charmante hospitalité ! Avez-vous complètement perdu l'esprit ? ajouta Patricia en se levant d'un bond. Evidemment, vous êtes de taille à me jeter dehors à la force du poignet si vous me jugez incapable de vous comprendre à demi-mots.

– Ah ! j'aime mieux cela, merci !

– Et si je refusais de partir ? Pourquoi ne resterais-je pas ici, après tout ?

Glass baissa pavillon.

– Parce que, dit-il doucement, j'attends la personne qui a tué votre oncle. Et maintenant, si vous ne voulez pas tout compromettre, faites-moi le plaisir de sortir.

Elle le regarda fixement. Tous deux avaient conscience de la fuite rapide du temps qui les séparait de la redoutable rencontre. Patricia s'assit de nouveau et repoussa le médecin.

– Ce soir ? fit-elle. Qui est-ce ?

– Désolé, mais je ne puis vous le dire en ce moment.

– J'avais votre promesse.

– Je sais, mais certaines raisons m'empêchent de la tenir. Pour l'amour de Dieu, croyez-moi, j'ai des motifs sérieux pour me taire. Sortez d'ici pendant qu'il en est encore temps!

– Non, dit la jeune fille en frappant le bras de son fauteuil, vous ne vous en tirerez pas ainsi, il faut que je sache : si vous ne me répondez pas, je crierai, je hurlerai, et je ferai tout rater!

Jusque-là Patricia, le corps tendu, presque rigide, avait parlé d'un ton rapide et monocorde. Changeant soudain d'attitude, elle se fit enjôleuse, posa la main sur le bras du médecin et leva sur lui des yeux suppliants dont le regard avait la douceur d'une caresse. Elle était si séduisante ainsi, il émanait de son corps charmant un attrait si puissant que Glass dut faire un violent effort pour ne pas perdre la tête.

– Je ne le dirai à personne, vous savez bien que je serai discrète, murmura-t-elle. Pourquoi ne voulez-vous rien me dire?

– D'abord parce que vous n'avez rien à faire ici. J'ai failli tomber à la renverse en vous voyant sur le palier. Soyez belle joueuse et allez-vous-en.

– J'ai toujours été bonne joueuse, du moins je l'espère, dit Patricia. Mais certaines choses n'ont rien à voir avec ça, et je me moque du qu'en-dira-t-on. En outre, ce n'est pas une raison pour ne pas me répondre. Vous pourriez me révéler le nom du meurtrier, et je partirais aussitôt. Pourquoi refusez-vous?

– En second lieu parce que... cela vous révolterait.

Il y eut un silence.

– Oh!

– Vous refuseriez de me croire, dit Glass. J'ignore quelle serait au juste votre réaction, mais je suis certain que vous feriez chavirer ma barque et je ne puis risquer le naufrage. Si vous aviez tant soit peu d'affection pour votre oncle, laissez-moi gouverner à mon gré. Nous n'avons plus le temps de discuter.

Le regard de Patricia restait fixé sur son visage.

– Je refuserais de vous croire, dites-vous? Il ne s'agit donc pas de la personne à laquelle je pense?

– Qui soupçonnez-vous?

– Helen Lake.

– Avez-vous un motif quelconque de la croire coupable, en dehors de votre antipathie personnelle?

– Un motif? J'en ai à revendre, dit-elle vivement, des raisons que vous ne soupçonnez pas et que je vous expliquerai si vous me permettez de rester. Dès le premier instant, le nom de Helen Lake m'est venu à l'esprit. Elle voulait se faire épouser par mon oncle – je parie que vous n'en savez rien? – et il lui a opposé un refus formel. Ceci se passait au banquet que le personnel lui offrit pour son jubilé d'argent. Helen avait mis très adroitement la question mariage sur le tapis au moment où, l'alcool ayant coulé à flots, plus personne n'avait les idées claires. C'est ce qui l'a mise dans l'état d'exaspération où nous l'avons vue ce soir-là. Mon oncle m'a tout raconté en me ramenant chez moi, cette proposition l'avait à la fois surpris et choqué; vous savez à quel point il était collet monté – un vrai Joseph, ou un saint Antoine, à votre choix – et on peut, dans une certaine mesure, comprendre le ressentiment de Helen. Je pourrais vous raconter des choses...

– Que je n'écouterai pas en ce moment, dit Glass d'un ton ferme. Oui ou non, allez-vous partir?

Patricia se leva et poursuivit tout en marchant à reculons vers la porte :

– L'expression de son visage m'a frappée aujourd'hui. Je n'ai pas cessé de l'observer, en particulier lorsque vous regardiez le modèle d'avion. Je ne sais quelle signification vous pouviez lui trouver – car il n'y manquait, à ma connaissance, qu'une résistance du moteur et une des bougies miniature – mais je donnerais ma tête à couper qu'elle y a vu quelque chose d'extraordinaire. Allons, mon petit docteur, dites-moi quelles déductions vous tirez...

Elle reculait toujours.

– Je ne vous dirai rien du tout et n'ai pas l'intention de perdre une minute de plus à écouter ce verbiage. Si Hornbeam était ici – et je l'attends d'un instant à l'autre – vous obéiriez sans discuter. Ne tablez pas sur une faiblesse inspirée par la sympathie que vous avez devinée en moi, ce serait absurde, comprenez-vous ?

– L'inspecteur va venir ? Il va donc procéder à une arrestation ?

– Oui, selon toute probabilité.

– Alors, je ne partirai pas. Ma décision est prise, il faut que je sache.

« Cette scène est passablement ridicule, pensait Glass. Vais-je être obligé de courir après elle autour de la pièce en renversant les meubles comme on pourchassait autrefois le traître dans les films, aux temps héroïques du cinéma ? Faudra-t-il l'emporter finalement sous le bras comme un gamin récalcitrant ? » Tout son plan si minutieusement élaboré allait sûrement échouer. Avoir trouvé la piste du criminel, choisi un moyen d'approche judicieux, projeté de lui donner le coup de grâce et voir à la dernière minute cet échafaudage laborieux renversé d'un coup de pied par cette intervention absurde de la dernière heure... C'était exaspérant! Mais, en plus du ridicule, il y avait danger réel, cette jeune fille ne devait pas rester ici.

L'horloge sonna 10 heures.

– Je vais me cacher dans l'autre pièce! s'écria Patricia. Je ne ferai pas plus de bruit qu'une souris. Vous pouvez avoir confiance en moi, je ferai tout ce que vous voudrez, mais il faut que vous me laissiez voir le meurtrier.

– Vous allez sortir d'ici, c'est un ordre! rugit le médecin en s'avançant pour la saisir.

Un coup de sonnette arrêta son élan.

– Trop tard! fit Patricia... Le coup de théâtre classique du vaudeville, ajouta-t-elle en saisissant au vol la pensée informulée de Glass.

Mais elle avait instinctivement baissé le ton. Debout, tournant le dos à la porte-fenêtre ouverte sur le balcon ruisselant de pluie, elle tenait d'un air embarrassé une cigarette à demi consumée.

– Passez dans l'autre pièce, dit Glass. Vite!

Une angoisse lui serrait la gorge. L'appartement ne comportait pas d'autre issue que la porte d'entrée. Ce coup de sonnette... Hornbeam, peut-être? Mais Hornbeam devait, selon le plan établi, guetter de l'extérieur sans manifester sa présence.

Glass prit des mains de la jeune fille la cigarette qui portait une trace de rouge à lèvres et la lança par la fenêtre. Il poussa Patricia dans la chambre à coucher, ramassa son manteau et son chapeau qui gisaient à terre près du buffet et les lança à sa suite, après quoi, il referma la porte. Mais celle-ci fut aussitôt entrebâillée à nouveau par la prisonnière. Glass sentait ses mains redevenir moites, il essayait de penser à mille questions à la fois.

La sonnette de l'entrée résonnait toujours.

Après un dernier coup d'œil au bureau, Glass passa dans le petit vestibule où, subitement, odeurs et couleurs lui parurent avoir redoublé d'intensité, depuis la natte jaune couvrant le sol, le porte-parapluies de porcelaine, les vagues effluves de moisi qui chargeaient toujours l'atmosphère de cette entrée et semblaient émaner d'un diplôme de médecine, datant de 1922, pendu au mur... Pour la première fois il eut conscience du danger comme d'une présence tangible, et l'image de Stephen Corinth, tué d'une balle en plein front, s'imposa à son souvenir. Mais la peur n'était pas de mise. Le Dr Glass se répéta mentalement que le véritable esprit scientifique ne doit reculer devant aucune expérience.

Il ouvrit la porte.

Pas d'erreur, cette fois, sur le palier, arborant le sourire le plus hypocrite que Glass eût jamais vu sur un visage d'homme, se tenait le meurtrier.

XVIII

Glass réussit à détendre ses traits crispés pour rendre le sourire en question. Le sang qui faisait battre ses artères lui semblait refluer plus vite au cœur et il craignit un instant de ne pouvoir maîtriser sa voix.

– Bonsoir! s'écria-t-il avec une impétueuse cordialité. Enchanté que vous ayez pu venir. Entrez donc.

Il tendit la main au visiteur. Celui-ci la serra avec énergie, après quoi, très prosaïquement, il enfonça son pépin ruisselant dans le porte-parapluies et, souriant de nouveau comme pour s'excuser, précéda le médecin dans le bureau.

Glass se reprocha aussitôt cette poignée de main.

Mauvaise tactique. D'ordinaire, il ne commettait pas de faute de ce genre. Mais peut-être son visiteur n'attacherait-il pas d'importance à son geste? Il importait de réagir au plus tôt s'il voulait continuer à mener le jeu.

– Quel temps affreux! dit le médecin. Vous allez prendre quelque chose pour vous réchauffer. Laissez-moi d'abord vous mettre à l'abri de cette pénétrante humidité.

(Point trop n'en faut, voyons! il faut parler normalement, naturellement!)

Le Dr Glass traversa la pièce et ferma fenêtres et rideaux : c'était le signal convenu avec les policiers postés en bas pour leur indiquer l'arrivée du visiteur. Tout en accomplissant sa tâche, le médecin songeait plus à Patricia, aux aguets dans la pièce voisine, qu'à son hôte. Qu'avait-elle pensé en le voyant?

– Pas de cérémonie entre nous! s'écria Glass. Asseyez-vous. (Il ouvrit la porte du buffet.) Que prendrez-vous, gin ou whisky?

– Du whisky, si vous voulez bien, dit le visiteur.

Même si Patricia ne pouvait le voir, elle avait sûrement reconnu la voix.

– Un peu de soda? Voilà... (Le siphon lança son jet bruyant.) Les cigarettes sont à côté de vous.

Une fois les rafraîchissements préparés, Glass se sentit soudain en pleine possession de ses moyens et se félicita intérieurement d'avoir retrouvé son calme et ses facultés d'analyse. Si son attitude avait eu quelque chose d'anormal au début, tout portait à croire que le nouvel arrivant ne s'en était pas aperçu. D'un geste prompt, Glass ramassa les feuilles dactylographiées placées à côté de la machine et ôta un dernier feuillet encore engagé sur le chariot.

– J'éprouve une impression à peu près semblable à celle que Mr Corinth dut ressentir avant... qu'on lui réglât son compte, dit-il. Vous avez dû vous demander pourquoi j'ai tant insisté pour vous faire venir ici ce soir ?

– Oui, en effet... A votre santé !

Le médecin tira un fauteuil et s'assit cavalièrement sur le bras. Après tant d'années de pratique, il n'avait jamais pu s'habituer à s'asseoir à une table en face d'un meurtrier. Superstition ou dégoût ? Il n'aurait pu le dire. Le fait n'en subsistait pas moins. Il est facile, une fois que l'on est fixé, de déchiffrer un visage et d'y découvrir les stigmates attendus; mais, dans le cas présent, il fallait chercher au-delà du masque. Le regard était d'une déconcertante franchise, l'expression générale à la fois sérieuse et sincère, et pourtant, de toute évidence, ce cerveau était fêlé : à un moment quelconque une des cellules, en mourant, avait détruit une partie du sens moral. S'il n'en avait pas été ainsi, peut-être sir Ernest Tallant eût-il été tué dans l'ascenseur, mais la mort de Stephen Corinth, froidement abattu d'une balle en plein front, ne se fût jamais ajoutée à l'autre pour compléter un plan préconçu.

Glass s'avisa soudain que les yeux candides étaient fixés sur lui.

– Que disiez-vous à l'instant ? demanda l'homme.

– Ah !... oui, parfaitement, fit le médecin qui sentait un vide étrange dans sa poitrine. Je voulais vous montrer ces notes – j'ai relevé tout ce qui concerne le mobile, l'occasion, la méthode, etc., pensant que certaines de mes conclusions pourraient vous intéresser.

– M'intéresser ? Pourquoi ?

– Parce que, entre nous soit dit, fit le médecin

d'un ton confidentiel, c'est vous qui avez tué Tallant et Corinth.

Le coup était porté.

La seconde d'après, Glass eût payé cher pour rattraper ses paroles. Il lui sembla entendre une sorte de rugissement dans le silence et des images démesurément grandies surgirent devant lui... simple effet de son imagination. Il se maudit d'avoir laissé échapper trop tôt son coup de massue, mais rien dans son attitude ne laissa transpirer ce regret.

– C'est vous, n'est-ce pas? reprit-il toujours sur le ton de la confidence. (Pas de réponse.) Ne vous inquiétez pas, il s'agit simplement d'une petite théorie personnelle que je serais heureux de vérifier pour mon propre compte. Tout est inscrit là. (Il montrait ses notes.) Comprenez-moi, je ne suis pas policier, mon rôle consiste à dire à la police qu'un projectile déterminé a été tiré par telle ou telle arme... (Le visiteur fixa le médecin par-dessus son verre de whisky; les deux regards se croisèrent comme des épées.)... Qu'il a pénétré dans tel organe et causé la mort à une certaine heure. Je ne suis nullement obligé de jouer les détectives. A votre santé!

Il leva son verre sans perdre de vue la main au vigoureux poignet qui tenait l'autre verre. Après un rapide coup d'œil circulaire, étonnamment compréhensif, le visiteur n'avait pas bougé.

– Je suis assez curieux de vous entendre, dit-il.

Le Dr Glass posa ses notes sur sa table et essaya d'affermir sa voix dont l'imperceptible tremblement lui déplaisait.

– Pardonnez-moi si je vous semble trop prolixe, dit-il, mais nous avons beaucoup de temps devant nous – à condition que vous ne commettiez aucun acte inconsidéré – et il vaut mieux que je reprenne l'affaire au début, j'entends par là le vol d'objets disparates au temple.

» On a supposé à l'origine que ces curieux objets avaient été dérobés dans l'unique dessein d'exercer une sorte de persécution morale sur sir Ernest Tallant. Mais ce n'était pourtant pas le cas : vous connaissant comme je crois vous connaître, jamais un homme de votre intelligence n'aurait agi ainsi. Que vous haïssiez Tallant, je suis tout disposé à l'admettre, mais votre haine, aussi profondément enracinée soit-elle, n'est pas la source principale du mobile, et ne s'est pas manifestée par des vols simulés dont le but était infiniment plus pratique : chacun de ces articles avait sa place arrêtée dans le scénario des crimes. Si je vous parle avec tant de franchise, c'est uniquement, je vous le répète, pour ma satisfaction personnelle, nous sommes seuls ici...

De l'autre côté de la table, le visiteur bondit, car ils venaient d'entendre tous deux un bruit violent venant de la chambre à coucher. Le Dr Glass comprit que le livre placé sur sa table de chevet, heurté involontairement par quelqu'un, était tombé à terre.

Sous la pluie battante qui fouettait son visage mal abrité par l'éternel chapeau melon qu'il affectionnait, l'inspecteur Hornbeam, ayant relevé le col de son imperméable, hâtait le pas. Les réverbères noyés sous l'averse éclairaient mal la chaussée. Après avoir longé Great George Street, il déboucha dans Birdcage Walk et aperçut la façade du vaste immeuble dans lequel Glass occupait un appartement : l'arrière de la maison donnait sur St. James Park. Des lumières dansantes se reflétaient sur le pavé luisant et, à part le chuintement incessant de la pluie, tout était silencieux. Au passage de l'inspecteur, une silhouette imprécise sortit de l'ombre d'une porte cochère.

– Tout va bien, monsieur, dit le policier en civil Davis. Il vient d'entrer.

– Bien. Biggs et Weston surveillent l'arrière, j'espère ?

– Oui, monsieur, mais il y a autre chose : cette jeune fille, miss Tallant...

Hornbeam fit un brusque demi-tour.

– Eh bien ?...

– Elle est entrée aussi environ un quart d'heure avant l'autre. Je n'aurais guère pu l'en empêcher – tout le monde a le droit de pénétrer dans l'immeuble et rien ne prouve qu'elle soit allée chez le docteur.

– Vous auriez quand même dû l'arrêter au passage, Davis ! Nous avons pris des précautions inimaginables pour organiser une surveillance discrète de façon à n'éveiller aucun soupçon et vous laissez cette diablesse de femme entrer dans la maison ! (En proie à une fureur croissante l'inspecteur allait s'emporter : il se ressaisit.) Peu importe, dit-il, ce qui est fait est fait. Restez ici.

Il prit une rue latérale, contourna la maison et pénétra dans les jardins. La situation était-elle si compromise, après tout ? Malgré sa colère, Hornbeam n'aurait pu l'affirmer. Le plan d'opération semblait si bien conçu pour attirer leur proie dans ce filet ! Cette invitation chez Glass ne pouvait éveiller sa méfiance et le docteur pourrait provoquer des réponses inconsidérées et compromettantes s'il renonçait à faire l'imbécile en abusant de la psychologie. Hornbeam se rappelait les paroles d'un vieil inspecteur qui travaillait sous ses ordres, après une émeute dans une prison : « Quiconque essaye de traiter Bill Huggins en gentleman devrait savoir ce qui l'attend. » Appliquant la réflexion à ses convictions intimes, Hornbeam aurait pu dire : « Quiconque traite un meurtrier en gentleman doit s'attendre au pire. » L'arrivée de la jeune fille pouvait devenir, néanmoins, un facteur de succès. Si...

Hornbeam s'engagea sous les arbres du parc aux feuillages dégoulinant de pluie, et trouva Biggs et Weston qui tendaient le cou pour mieux regarder deux fenêtres à l'étage supérieur de l'immeuble.

– Que se passe-t-il?

– Le docteur vient de donner le signal en fermant les fenêtres et en tirant les rideaux, répondit le sergent Biggs. Ce sont les deux fenêtres qui suivent la troisième, en partant du coin gauche.

Ils attendirent. Hornbeam éprouvait une certaine angoisse en supputant la longue distance qui le séparait de cet appartement si haut perché.

– Si les fenêtres s'ouvrent à nouveau, nous intervenons immédiatement. Compris?

– Oui, monsieur. Tiens! C'est bizarre!

– Quoi donc?

– La chambre à coucher vient de s'allumer, on dirait qu'ils circulent dans l'appartement, dit le sergent.

Le Dr Glass et son visiteur se tournèrent d'un même geste vers la chambre à coucher : après le choc du livre tombé à terre, silence complet.

– Votre chat, sans doute? fit le visiteur.

– Non, répondit Glass avec un calme parfait, je déteste trop ces animaux-là pour en supporter un chez moi. C'est un courant d'air... semblable à celui qui a refermé brusquement une porte au temple. Vous avez su l'histoire? Naturellement. Le courant d'air est roi ici et renverse à chaque instant quelque chose. Je vous donne ma parole qu'il n'y a aucun policeman dans l'appartement. Voulez-vous en avoir le cœur net?

La courtoisie extrême du visiteur, qui contrastait de façon si frappante avec le lent mais incessant mouvement de ses mains, agaçait prodigieusement le médecin. On aurait dit que ces mains-là n'appartenaient pas au corps de l'individu.

– Que nous soyons seuls ou sous la surveillance de policemen cachés dans vos placards, peu m'importe, dit l'homme. Pourquoi m'en inquiéterais-je? Votre attitude – pardonnez ma franchise – me donne envie de rire. Si j'avais infligé à la société une perte cruelle en tuant ces deux honorables citoyens – ce que je nie –, il n'est pas du tout probable que je consente à vous faire des aveux en échange de votre savoureux whisky et uniquement pour satisfaire votre curiosité. Enfin, c'est à voir.

Sur ces mots, le visiteur se dirigea vers la chambre à coucher, poussa la porte et tourna le commutateur.

C'est fini, pensa Glass, cette maudite femme...

Il y eut un long silence. Debout sur le seuil, l'homme inspectait la pièce. Glass le rejoignit. De Patricia Tallant, aucune trace. Le vent qui s'engouffrait par une fenêtre ouverte gonflait les rideaux et soulevait les pages d'un roman policier tombé à terre. (Où était-elle? Dans la garde-robe, sous le lit?)

Le visiteur revint s'asseoir dans le bureau et, son verre en main, reprit, très calme :

– Continuez. Vous parliez de ces crimes tout à l'heure.

– Oui, il y a dans mes notes...

– Puis-je les voir?

Glass les lui tendit. Il avait enfin réussi à prendre en défaut la prudente défense de son adversaire. A peine l'homme eut-il jeté un coup d'œil sur le premier paragraphe qu'il s'écria d'une voix un peu changée :

– Le mobile ? Quel est-il, selon vous ?

– Entre nous, je vais vous faire une petite confidence. Vous jouez le rôle de l'innocent avec un naturel qui fait mon admiration, cette constatation n'étant ni une insulte ni un défi. Vous m'avez mis dedans complètement. Votre mobile fut inspiré et gouverné par l'aversion, par les humiliations qu'on vous a fait subir et l'envie immodérée d'acquérir les richesses et le pouvoir. Ce désir a grandi en vous au point de devenir une passion dont vous n'étiez plus maître, mais il s'est concrétisé en résolution pratique, comme tout ce que vous faites. Vous avez conçu le projet de tuer Tallant et Corinth pour que Patricia Tallant ait la libre et entière disposition de la maison d'édition et de l'argent.

Le visiteur éclata de rire.

– Essayez donc de lui dire ça, elle ne vous croira jamais ! s'écria-t-il.

– Ah ! nous y arrivons enfin, fit Glass toujours cordial. C'est bien ça, n'est-ce pas ?

– Vous vous méprenez, ma réflexion n'est pas un aveu. J'ai simplement fait observer qu'elle ne vous croirait jamais. Elle m'aime beaucoup.

– Et vous ?

– Moi je l'aime bien... à ma façon. Versez-moi encore un peu de whisky, s'il vous plaît.

– Servez-vous.

– J'ai dit : « Versez-moi encore du whisky, s'il vous plaît. » Et je compte, au cours de la soirée, vous donner d'autres ordres du même genre.

Tout ceci avait été dit sur le même ton. L'homme n'avait pas modifié son attitude. Le verre glissa sur la table polie, mais l'oreille exercée de Glass venait de percevoir en même temps un léger bruit venant de la chambe à coucher... et il se représenta un petit pied bousculant par inadvertance les souliers rangés en bas de la garde-robe.

Ils avaient atteint le point décisif où les forces en présence ne pouvaient plus conserver leur dangereux équilibre. L'action allait entrer dans une nouvelle phase et s'orienter dans un sens ou dans l'autre.

Glass prit le verre et se dirigea vers le buffet, non sans remarquer que le visiteur aurait eu grand besoin de se raser.

– Lisez donc mes notes, reprit le médecin. Aussi étrange que cela puisse paraître, ce ne sont pas les indices recueillis en cherchant à percer le mystère du crime Tallant qui m'ont mis sur votre piste. La certitude de votre culpabilité m'est venue quand, après avoir réfléchi à la mort de Corinth, mes yeux s'étant portés par hasard du côté du hall, j'ai aperçu le stan... d'ailleurs, tout ceci est consigné dans mes notes. Malheureusement, la plupart des autres idées ne sont pas de moi. Dave a trouvé...

Il s'arrêta court et se mordit la langue au sens propre du mot.

– Je vois que la police est au courant! dit le visiteur.

Glass fit demi-tour.

– Oui, dit-il sans hésitation.

– A-t-elle l'intention de m'arrêter?

– Certainement.

– J'étais préparé à cette éventualité, répondit le visiteur.

« Il ment, songea Glass, mais son orgueil démesuré le soutient comme l'air qui gonfle un pneu. »

L'homme tambourinait sur la table et le rythme de ses doigts s'accordait à celui de la pluie qui tombait sur le balcon.

– Je commence à comprendre la raison de votre invitation. Espériez-vous donc que je me jette sur vous et me mette ainsi dans un mauvais cas ? Ne vous réjouissez pas, je nie et nierai jusqu'au bout. Il n'y a pas de preuve...

– C'est ce qui vous trompe, nous avons un témoignage accablant : Grey Haviland a tout vu.

Le visiteur déchira les notes en mille morceaux qu'il éparpilla sur la table et il posa nonchalamment la main sur le microscope de cuivre.

– Je doute fort que vous arriviez jamais à apporter la preuve de ma culpabilité. Rappelez-vous que je fais figure d'innocent outragé. La seule personne qui compte à mon sens n'ajoutera jamais foi à tous ces racontars... Le reste m'importe peu. Vous savez à qui je fais allusion. J'ai l'expérience des femmes et je connais à fond la jeune personne. Oh ! je ne me flatte pas d'arriver immédiatement à mes fins, mais je saurai attendre. L'essentiel est que ces cochons, ces porcs, aient été tués, écrasés, anéantis comme ils le méritaient et que je ne les trouve plus sur mon chemin ! J'avais parfaitement le droit de faire ce que j'ai fait, vous m'entendez ? Et je persiste à croire que la police ne me soupçonne pas – ce serait ridicule – et à plus forte raison, qu'elle ne peut rien prouver contre moi.

» Ce que j'entends obtenir de notre petite Pat n'est qu'une compensation largement méritée. Remarquez que je n'ai aucune animosité contre elle, ce n'est pas une mauvaise fille. Notre Pat aurait évidemment besoin de recevoir de temps à autre une bonne correction, c'est une enquiquineuse chipie, mais ce n'est pas d'elle que je me plains. J'ai bien d'autres griefs contre le personnel de ce soi-disant Temple de l'Intelligence et cela me soulagerait de les exposer, mais je n'ai encore rien avoué et mon intention n'est pas de faire des aveux. Du reste, j'ai tout lieu de croire qu'il y a vraiment quelqu'un dans cette chambre...

Ces derniers mots furent prononcés avec un changement de ton à peine perceptible et un très léger clignotement des paupières. En dépit des efforts désespérés de Glass pour couvrir le bruit, on entendit craquer le parquet et Patricia Tallant parut sur le seuil de la chambre à coucher.

– Vous parliez de l'enquiquineuse, eh bien la voici ! clama-t-elle.

Le Dr Glass, tout en espérant que ses jambes ne se déroberaient pas sous lui, se précipita pour tirer les rideaux et ouvrir la fenêtre. Une bouffée d'air frais pénétra dans la pièce.

Lorsqu'il se retourna, le visiteur n'avait pas bougé, mais il baissait la tête et ses doigts s'étaient crispés sur le microscope. Sans avertissement, d'un seul geste adroit et précis l'homme lança la lourde machine à la tête du médecin et l'atteignit entre les deux yeux.

– Ça y est ! cria Hornbeam.

– Oui, voilà le signal...

– Une seule fenêtre ! dit l'inspecteur qui exécutait une sorte de danse du scalp, au grand ahurissement de Biggs. Une seule, cela signifie que notre homme a parlé, mon garçon ! Entendez-vous ? Nous avions de quoi le convaincre du crime sans cela, mais...

Biggs ne quittait pas la fenêtre des yeux.

– Regardez, fit-il soudain, c'est bizarre, il y a quelqu'un à la fenêtre... quelqu'un qui sort sur le balcon...

– Et ce n'est pas le Dr Glass, dit Weston.

Tous trois s'élancèrent d'un même mouvement vers la maison. Après avoir gravi quelques marches au-delà d'une entrée de service, Hornbeam poussa une porte vitrée. Ils pénétrèrent dans une étroite cage d'escalier à droite de laquelle se trouvait un ascenseur chichement éclairé d'une petite ampoule poussiéreuse. En pressant le bouton dans la cabine, Hornbeam pensa soudain que l'affaire avait commencé et allait se terminer par un ascenseur et qu'il serait dans une terrible situation si celui-ci ne fonctionnait pas. Il fut presque surpris de le voir se mettre en branle.

Arrivés à l'étage supérieur, les trois hommes longèrent un corridor recouvert d'un épais tapis. Hornbeam tenait en main la clé de l'appartement de Glass. La porte s'ouvrit sans bruit, ils se faufilèrent doucement dans la petite entrée et gagnèrent le bureau. Tous trois, préparés à la bataille, s'arrêtèrent court sur le seuil, déconcertés par l'étrange spectacle qui les attendait.

Un rideau de velours violemment agité par le courant d'air. Sur le sol, près de la table, un microscope renversé. Et, à demi couché sur un fauteuil, dans une étrange posture, le Dr Glass qui semblait faire effort pour se relever. Il leur tournait le dos et son visage restait invisible, mais il paraissait presser ou éponger son front. Hornbeam crut apercevoir quelques taches de sang sur le fauteuil et les fragments brisés d'un lorgnon. Patricia Tallant, l'air égaré, reculait devant un autre homme : le visiteur – mais celui-ci, bien loin de représenter en ce moment une menace ou un danger, bégayait d'étranges supplications.

– Je ne l'ai pas fait exprès ! disait-il en tendant la main comme pour la rattraper. Je ne l'ai pas fait exprès et vous ne pouvez l'ignorer : si vous saviez ce que j'ai souffert, vous ne me condamneriez pas ! Vous aviez si bien l'air de me comprendre, vous étiez mon amie et j'ai toujours eu de l'affection pour vous. Vous ne leur direz rien ? Dites que vous ne me livrerez pas. Vous n'auriez pas le cœur de me faire pendre !

Il se retourna et ils virent le mince et long visage épouvanté, le réseau bleuâtre des veines gonflées sur le front, les touffes de cheveux grisonnants sur les oreilles.

Mais tout d'abord Hornbeam ne le regarda pas.

– Téléphonez immédiatement pour avoir un médecin, Biggs, dit-il en désignant Glass d'un signe de tête.

Il se tourna ensuite vers le visiteur :

– Vincent Pluckley, je vous arrête sous l'inculpation d'assassinat sur la personne de sir Ernest Tallant. Rappelez-vous que tout ce que vous direz sera noté et pourra être utilisé contre vous.

Pendant une seconde, Pluckley fixa sur eux l'étrange regard vide d'expression qu'ils lui avaient déjà vu en une occasion précédente. Hornbeam se précipita dès qu'il vit les yeux de l'homme s'orienter ailleurs, mais Pluckley était trop près de la fenêtre et du balcon. Il glissa sur le ciment mouillé en s'élançant pour saisir la balustrade et ce furent ses souliers qu'ils aperçurent en dernier lieu lorsqu'il bascula pour aller s'écraser sur le sol.

Là aussi, on était au cinquième étage !

XIX

– Mais comment a-t-il pu s'y prendre ? demanda Mr William Lester. En admettant tout ce que vous nous avez raconté, comment a-t-il accompli son premier crime ? D'habitude il n'est pas très difficile de faire parler Horry...

– C'est vrai, reconnut le Dr Glass avec dignité, mais j'ai un si violent mal de tête que je ne m'en sens guère le courage. Quant à mon honnête visage il est orné d'une balafre et ses yeux sont joliment pochés. Enfin ce qui est fait est fait. Que cet infernal microscope ne m'ait pas rendu complètement aveugle est une chance que je n'arrive pas à comprendre, étant donné que l'inspecteur Hornbeam dirigeait les opérations. Il y a sûrement maldonne. De tels dommages sur ma personne sont l'inévitable résultat des inventions géniales de l'inspecteur et je crains que cette fois il n'ait pas été à la hauteur de sa tâche.

– Ne vous en prenez qu'à vous-même, tout est arrivé par votre faute, dit Hornbeam.

– Jamais de la vie! s'écria Patricia.

Ainsi parlaient nos quatre personnages réunis au crépuscule dans le bureau de Glass, une semaine après la fin tragique de Vincent Pluckley. Ils avaient dîné ensemble et, pour la première fois, revenaient sur les événements passés. Glass, qui s'était levé pour se regarder à nouveau dans une glace, se retourna, furieux.

– En dehors du fait que je n'ai aucune envie de prononcer un mot superflu – ce qui m'arrive du reste rarement –, je m'en voudrais d'empiéter sur les prérogatives de l'inspecteur Hornbeam à qui revient tout l'honneur en cette affaire. La franchise m'oblige à reconnaître que lorsque je me suis fixé sur Pluckley il était déjà édifié depuis longtemps, et je n'ai eu le trait de lumière qu'en comprenant soudain l'alibi truqué à l'aide du standard téléphonique.

» Mais quand je songe que j'avais eu une précédente occasion d'accuser Pluckley – et Pluckley a été alors à deux doigts de croire que nous le tenions et a failli lâcher le morceau –, j'estime que l'on doit rendre justice à cette connaissance profonde de la mentalité des criminels qui, tant de fois dans le passé, m'a servi à...

– Ecoutez, mon vieux, fit Lester. Je sais que vous ne dites rien de superflu, mais tout de même!...

– Bon, alors adressez-vous à lui.

– Si vous voulez, dit Hornbeam en posant sa pipe.

Il avait, à vrai dire, l'air du musicien de quelque orphéon campagnard qui consentirait à jouer son grand air, mais il était content de lui. Le travail difficile avait été bien fait, et il éprouvait un certain plaisir à en réviser de près les détails. Il ramassa sa serviette de cuir posée à terre à côté de son fauteuil et l'ouvrit.

– Vous désirez savoir comment sir Ernest a été tué : je vais vous l'apprendre. Sa mort est due, comme vous l'avez probablement deviné, à un stratagème mécanique, stratagème d'une simplicité telle que je me demande si j'agis sagement en le dévoilant en public. Vous connaissez tous son fonctionnement : on le voit partout, mais tout le monde, y compris moi-même, a pris pour une plaisanterie ce qui était œuvre de mort. Je n'avais cependant pas oublié le visage de Pluckley lorsque j'ai fait cette réflexion devant lui, et, en vérité, c'est le vent qui a fait partir le coup.

Lester semblait ahuri.

– Je ne comprends rien à ce langage sibyllin, dit-il. Mieux vaudrait reprendre l'affaire à son début.

– Vous avez raison, dit Hornbeam en ouvrant son carnet. Eh bien, voici : à 12 h 47, le jour du crime, je suis arrivé au temple et j'ai trouvé le défunt... mais vous savez cela. La mort était manifestement due à une arme à feu que je ne pouvais pas encore déterminer, mais j'ai tout de suite été frappé par certaines bizarreries.

» L'arme, quelle qu'elle soit, avait tiré très près du ciel de la cabine; le verre, noirci par la poudre, était criblé de parcelles infinitésimales de charge non brûlée, et, ce qui me parut encore plus singulier, des parcelles identiques, non brûlées, se trouvaient également dans le tissu du veston, autour de la blessure. Cette remarque, faite à première vue, me fut confirmée par Glass après examen du vêtement à la loupe.

» Cette constatation donnait matière à réflexion, car il faut une arme d'un modèle bien périmé pour envoyer ces parcelles dans une plaie à une telle distance. Les armes modernes, avec leurs projectiles blindés, ne produisent pas cet effet. On aurait dit la décharge d'un vieux pistolet datant de cent ans au moins, semblable à celui dont mon grand-père se servait pour tirer les écureuils. Mais, immédiatement après, j'ai entendu parler d'un certain revolver 45 d'ordonnance qui avait été volé dans l'immeuble, et le Dr Glass me rapporta le projectile : une balle de 45 portant les marques d'un canon rayé. Je n'y comprenais rien et, à la première occasion, je vous ai demandé... (il s'adressait à Lester)... si votre revolver était en bon état et d'un modèle récent. Votre réponse a été affirmative.

– Mais je ne saisis pas la difficulté, fit Lester. Après tout la balle qui a tué le patron a bien été tirée par mon revolver?

– Oh non! fit Hornbeam, c'est ce qui vous trompe.

– Mais voyons! Vous avez dit vous-même... et on n'a cessé de répéter...

– Attention! Toute la question est là, Mr Lester : la balle a en effet été tirée par votre revolver, mais des jours, peut-être des semaines avant l'assassinat de sir Ernest. Voilà précisément en quoi Pluckley s'est montré si habile. Et c'est aussi l'explication des six douilles vides du magasin. Pluckley n'a eu qu'à tirer, au cours d'une promenade à la campagne, un certain nombre de cartouches dans la terre molle, puis à déterrer les balles, qui, tout en n'étant pas déformées, portaient les rayures provenant d'un canon de 45. Il a choisi ensuite la mieux marquée, son but étant de désigner ainsi un certain revolver à la police. Il nous était facile d'en retrouver la trace. Mais lorsque sir Ernest a été tué par cette même balle, elle avait été tirée par un canon lisse, ancien modèle, ne laissant aucune marque nouvelle.

» Pour être précis, Pluckley tira quatre balles en terre et en choisit une pour tuer sir Ernest. Des deux cartouches restantes, l'une fut réservée à Corinth, l'autre mise en pièces pour retirer la poudre et la bourre dont il allait avoir besoin. Ceci explique qu'une des chambres du revolver n'était pas noircie par la poudre et vous verrez plus tard à quoi devait lui servir la cartouche défaite.

» Mais n'anticipons pas. Je n'avais donc comme point de départ de mon enquête qu'une balle portant les marques d'un revolver 45, mais qui ne correspondait pas au canon ayant lancé la décharge.

» J'ai d'abord pensé, naturellement, à quelque engin mécanique et j'ai orienté Biggs dans cette direction. Mais les objections se sont présentées en si grand nombre que j'ai cru faire fausse route : premièrement, on ne retrouvait pas trace de cet engin, en outre une arme de ce genre ne choisit pas sa victime et ne part pas à volonté. Or, sir Ernest avait pris l'ascenseur plusieurs fois au cours de la matinée, d'autres aussi, sans que rien se soit produit. Pluckley était le seul qui soit entré dans la cage d'ascenseur ou qui ait pu y pénétrer. Et cependant sir Ernest s'était servi de l'ascenseur ensuite, après Pluckley, et sans dommage. Un témoin certifia que Pluckley était resté à peine deux secondes dans cette cage et qu'il n'aurait pas eu le temps matériel d'y fixer quoi que ce soit.

» Deuxièmement, l'engin aurait été nécessairement adapté sur le toit de la cabine, car les traces de poudre prouvaient que la bouche du canon était placée tout près du ciel vitré; mais deux personnes – Glass et vous, miss Tallant – avaient vu passer de près cette cabine et affirmaient qu'il n'y avait rien sur le toit.

– Je persiste dans mon opinion, déclara Patricia.

– Laissons de côté la seconde objection, fit Lester, la première me suffit. Comment un engin mécanique aurait-il pu fonctionner?

Hornbeam tourna une page de son carnet.

– Précisément. Le même soir, nous avons inspecté le fond de la cage d'ascenseur, sous la cabine. Le résultat de cette fouille ne m'apprit pas grand-chose, sauf que je me trouvais en face d'autres anomalies.

» Je ne savais guère que penser jusqu'alors des objets disparus – sauf, bien entendu, le revolver. Tout le monde semblait croire qu'ils avaient été dérobés pour ennuyer le patron, mais il s'agissait en l'espèce d'un mobile psychologique et j'ai pour principe de m'en tenir aux faits. Pourtant, lorsque j'eus jeté un petit coup d'œil sur la collection de débris tirés de la fosse de l'ascenseur, je devins psychologue à ma façon.

» Il était facile de comprendre comment certains de ces débris – bouts d'allumettes ou mégots – se trouvaient là : ils avaient pu glisser au passage par le mince interstice qui subsiste entre le bord de la cabine et les portes. Un fascicule aussi peu épais que le spécimen du *Compagnon du Foyer*, ou une petite boucle d'oreille pouvaient y être tombés de la même manière. Je m'expliquais la présence des vieilles pinces, bouts de fil de fer, écrous, etc., par la négligence d'ouvriers travaillant au fond de la cage d'ascenseur. Mais comment le reste de ces rebuts hétéroclites avait-il pu venir échouer dans cette fosse ? Au moment où je me posais cette question, Biggs s'écria : « Ce gredin a jeté chacun des objets volés au fond de cette cage après l'avoir mis en pièces. » Or, il faut toujours se méfier des remarques qui paraissent l'évidence même. La prudence exige qu'on les examine avec soin pour en saisir la véritable signification.

» Glass et moi avions, Dieu merci, une certaine expérience de cet ascenseur, expérience acquise à nos dépens. Comment, me demandai-je, a-t-on pu « jeter directement au fond de la cage » : un volume du *Spectator*, une pendulette, une statuette d'argent haute de près de dix centimètres, une pile électrique toute neuve, les débris d'une solide boîte en carton de chocolats à la menthe et deux morceaux de tuyau à gaz ? Boîte et tuyaux pouvaient avoir été laissés par des ouvriers, mais le reste ?

» Impossible de jeter ces objets de l'intérieur de la cabine, ni d'ouvrir une porte pour les lancer en bas. Il n'y avait qu'une seule manière d'opérer : exécuter la manœuvre compliquée que nous avons répétée si souvent, c'est-à-dire arrêter la cabine à un étage déterminé pour pouvoir ouvrir la porte, monter à la chambre du moteur, couper le courant, soulever ou abaisser la cabine au moyen du treuil à bras, redescendre à l'étage pour jeter les objets dans la cage et remonter sur le toit pour remettre tout en ordre.

» Pourquoi prendre tant de peine pour dissimuler des objets au fond d'une cage d'ascenseur qui, de toutes les cachettes, est certainement la plus absurde et la moins sûre? Il aurait fallu répéter l'opération à plusieurs reprises, car les objets, volés à des moments différents se trouvaient tous en bas. Mais ce n'était pas tout : certes un loufoque ou, ce qui revient au même, un individu féru de psychologie, aurait pu ne pas reculer devant ces manœuvres compliquées, mais quand aurait-il pu les exécuter? La réponse était évidente : jamais. Il ne pouvait s'y risquer pendant la journée – à moins que ce ne soit Pluckley en personne – sans être immédiatement repéré. Je n'ai pas besoin d'insister sur ce point; autant essayer de faire passer un train dans la cour d'honneur d'une gare sans attirer l'attention. Mais il ne pouvait pas davantage opérer de nuit, car deux gardiens surveillent constamment l'immeuble et je suis à même de certifier moi-même qu'on ne peut pas manœuvrer le treuil à bras de nuit sans provoquer un bruit épouvantable qui serait entendu dans tout le temple.

» Mais les objets étaient là, il fallait bien qu'on ait trouvé le moyen de les placer dans la fosse. Je les examinai de nouveau attentivement avant de rentrer chez moi, le même soir, et l'idée me vint qu'un des articles dérobés n'y avait pas été jeté, je veux parler de ce modèle d'avion en réduction qui, à proprement parler, n'avait pas disparu, mais auquel manquaient seulement la bougie et la résistance qui actionnent tous les moteurs à essence de ce genre. Ceci me sembla d'autant plus intéressant que Mr Haviland, en vous montrant l'avion brisé, avait parlé de la bougie miniature. Je m'étais demandé pourquoi : c'est parce qu'elle avait disparu.

» J'examinai donc attentivement la collection de

débris trouvés au fond de la cage d'ascenseur. Certains d'entre eux – les rouages d'une pendulette apparemment – avaient été brisés en tant de morceaux dans la chute que Biggs ne s'était pas donné la peine de les rassembler tous. La première chose que je vis en les cherchant fut un bout de tuyau à gaz ordinaire.

» Tuyau à gaz... ou de conduite d'eau.

» J'avais déjà songé à une sorte de canon d'arme à feu rudimentaire. L'aurais-je cherché que je ne pouvais rien trouver qui correspondît mieux à un canon lisse ancien modèle. Il y avait deux morceaux de tuyau, mais l'autre était en trop mauvais état pour avoir pu servir. Le premier au contraire, long de dix centimètres avec un diamètre d'environ deux centimètres cinq, avait les dimensions suffisantes pour contenir une balle de 45.

» Toute la nuit et la journée suivante, je n'ai cessé de ressasser ces différentes constatations dans ma tête pour essayer d'en tirer des déductions. En considérant les objets disparus et ceux trouvés au fond de la cage, on était frappé du nombre important de pièces mécaniques : une bougie, une résistance, une pile, du fil de fer, un tuyau de plomb. Etait-il possible de fabriquer une arme à feu avec cela? Certainement. Mais restait la difficulté de faire partir le coup – ce qui n'était pas une mince objection. Voici, en tout cas, de quelle manière on peut charger et préparer une arme de fortune telle que je l'imaginais :

» Fixez la bougie à une extrémité du petit tuyau de plomb en prenant soin qu'elle s'adapte exactement, mais sans forcer. Chargez ensuite votre tuyau en mettant à la suite de la bougie du fulmicoton, puis une bonne quantité de poudre sans fumée, puis la bourre – une bourre de cartouche ordinaire – et enfin la balle. Adaptez à ce tuyau un montage électrique au moyen de la résistance, de la pile et du fil métallique. Comme ceci.

Hornbeam arracha une feuille de son carnet et dessina rapidement le schéma ci-après qu'il tendit ensuite à Lester :

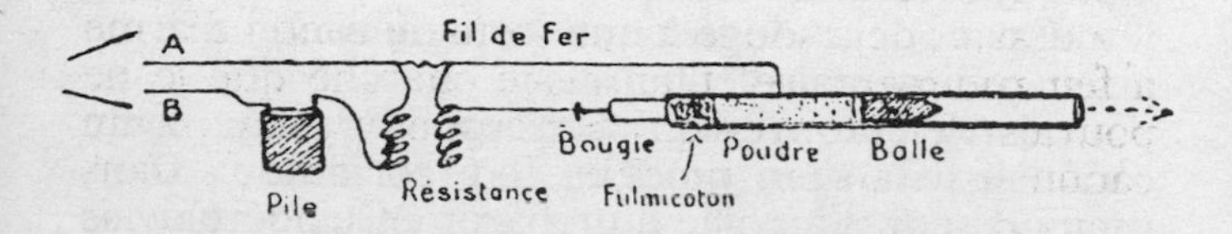

– Voici donc une arme qui ne nécessite ni crosse, ni détente, ni tireur. Comprenez-vous son fonctionnement ? Remarquez les deux petits fils métalliques de gauche, en A et B ! Si on les réunit – ou si un contact est établi entre eux –, le circuit est fermé et le courant électrique fait partir la décharge.

» Mais comment diable les réunir exactement au moment propice ? Cela revient à presser la détente d'un revolver : on ne peut mettre en faction quelqu'un chargé de réunir les deux fils à la main, ou de placer avec soin un morceau de métal qui, touchant les deux fils, établisse le contact. Alors ?

» Je me rappelai soudain ce qu'était en réalité un des objets volés et du reste complètement brisé dans sa chute, je veux parler de la pendulette de voyage. Vous la nommiez ainsi parce que c'était plus commode, mais Mr Lester nous avait appris que sur l'autre face de cette pendulette se trouvait un baromètre anéroïde.

» Vous savez comment un baromètre, qui suit les variations de la pression atmosphérique, réagit à l'altitude. Supposons un baromètre accroché dans un ascenseur cent mètres au-dessus du sol. Pendant la descente, l'aiguille mobile se relèvera d'un dixième sur le cadran... Vous y êtes, maintenant ?

Le visage épanoui, Hornbeam se carra dans son fauteuil et fit une sorte de salut général avec sa pipe. Conscient de l'inconvenance de son attitude, il toussa pour se donner une contenance et prit un air exagérément solennel.

– Je regrette, dit-il, mais c'est la vérité. Toute l'histoire peut se résumer en cette formule : « Dans un ascenseur, l'aiguille d'un baromètre anéroïde se relève ou s'abaisse en fonction de la hauteur. » Les deux petits morceaux de fil métallique A et B étaient reliés à deux boutons de métal que le meurtrier avait adaptés à un baromètre anéroïde en les plaçant exactement l'un au-dessus de l'autre; lorsque l'ascenseur descendit à une distance déterminée, l'aiguille du baromètre en se relevant toucha les deux boutons de métal à la fois.

» Le contact fut établi.

» L'étincelle toucha le fulmicoton.

» Et le coup partit !

L'inspecteur alluma sa pipe et tira quelques bouffées avec une exceptionnelle vigueur. Les autres gardaient le silence : Patricia, furieuse et désespérée, Lester avec un éclair de compréhension dans le regard. Glass penchait son visage défiguré sur des chopes qu'il emplissait de bière.

– Attention ! reprit Hornbeam. Je ne pouvais encore affirmer que mon hypothèse était la bonne. Naturellement elle aplanissait toutes les difficultés soulevées contre l'engin mécanique, expliquait comment on pouvait circuler en toute sécurité dans l'ascenseur à condition de ne pas descendre assez bas pour mettre le mécanisme en action. A ce propos, sir Ernest avait été à deux doigts de la mort ce matin-là quand il était allé voir Haviland; j'estime que le coup est parti à peine deux ou trois mètres en dessous du point où il était descendu la première fois.

» Mais nous y reviendrons, car certaines objections subsistaient : comment n'avait-on pas remarqué l'engin? Comment Pluckley avait-il pu l'adapter sans être vu et comment était-il descendu au fond de la cage d'ascenseur?

» Vous remarquez que je disais déjà « Pluckley », car, en admettant l'engin mécanique comme arme du crime, il était le seul meurtrier possible; le seul autorisé à toucher à cet ascenseur; le seul qui puisse y travailler à son aise sans que tout le personnel du temple en soit averti. Il avait eu l'occasion, c'est une base sur laquelle on peut s'appuyer avec une certaine confiance... en laissant à d'autres le soin de s'inquiéter de facteurs plus illusoires. Je me suis remémoré la première entrevue que Glass et moi avions eue avec Pluckley. Je ne le soupçonnais pas alors, car nous n'avions pas encore fouillé le fond de la cage d'ascenseur et j'avais écarté momentanément l'hypothèse d'un stratagème mécanique. Que Pluckley soit doué d'une intelligence diabolique, c'était évident même pour un cerveau aussi obtus que le mien, et un stratagème de ce genre était parfaitement dans ses cordes. Il me sembla un peu nerveux; il l'était peut-être naturellement, mais une de ses remarques au sujet de son ancienneté m'ayant paru assez obscure – il prétendait faire partie de la maison depuis vingt-six ans alors que sir Ernest Tallant n'y était que depuis vingt-cinq ans – je résolus de m'informer. Vous connaissez son histoire?

– Oui, dit lentement Patricia, je la connais.

– Il avait bien débuté dans la vie comme propriétaire et éditeur d'une petite revue de vulgarisation scientifique, mais – mettons les choses franchement au point – sir Ernest, après l'avoir évincé, s'était emparé de la revue et avait édifié sur cette première publication les Editions Tallant. Plus tard, lorsque Pluckley s'est trouvé sur le pavé, sir Ernest a su se montrer généreux et a consenti à lui confier un emploi subalterne. Au banquet du jubilé d'argent, il y a deux mois, Pluckley a reçu la médaille des bons serviteurs pendant que le patron se voyait offrir une magnifique montre de platine et qu'on célébrait en discours flatteurs les merveilles qu'il avait su bâtir sur un petit journal populaire à deux sous.

» Nous n'avons pas appris tout cela lors de notre premier entretien. Je m'aperçus bien au regard ironique de Pluckley que mes questions lui causaient une sorte de jubilation secrète, mais j'ai l'habitude de ces réactions, et sa politesse m'empêchait de le mettre au pas. Mon oncle, le chanoine de Sylchester, me parle exactement de la même façon.

» Glass accusa Pluckley du crime à brûle-pourpoint, mais ce n'est qu'en réfléchissant à cette scène un jour plus tard que j'entrevis sa signification. Glass avait raison : nous avons failli l'avoir par surprise, mais notre excellent docteur s'étant immédiatement excusé, Pluckley eut le temps de se reprendre et c'est lui qui nous mena ensuite par le bout du nez.

» Son système de défense pouvait se résumer ainsi : « Je certifie que l'ascenseur est en parfait état de fonctionnement et que personne n'a pu y pénétrer. Les portes sont intactes et leur manœuvre très bien réglée. Je voudrais bien pouvoir vous signaler un défaut et, si j'étais un meurtrier, j'aurais pu facilement dérégler un contact. » Le raisonnement semblait plausible, mais, là encore, il avait usé d'un de ces arguments qui paraissent probants jusqu'au moment où l'on comprend leur véritable signification.

» Qu'aurait-il donc pu dérégler sans ruiner du même coup ses propres desseins ? A supposer qu'il ait installé une sorte de machine infernale, celle-ci ne pouvait remplir son office si la cabine ne fonctionnait pas. Or, tous les rouages du mécanisme de l'ascenseur dépendent les uns des autres; si on touche à l'un d'eux, la machine entière s'arrête. Ce que Pluckley venait de dire n'avait par conséquent aucun sens; sauf de tirer avantage d'une situation assez embarrassante pour lui, et il éprouva une joie intense et secrète en m'entendant dire qu'on ne faisait pas faire partir un revolver avec du vent; cela prouvait que je ne soupçonnais pas le truc employé. Lorsque j'ai, devant lui, réduit à néant l'hypothèse, suggérée par Glass, d'un dispositif mécanique, il s'est cru hors de danger et a repris assez d'assurance pour oser dire que si un tel dispositif avait été placé dans l'ascenseur, lui seul aurait pu l'installer.

» Oui, il se croyait à juste titre en sûreté, car, si j'en venais jamais à prouver ce que j'avais en tête, il fallait d'abord répondre à ses propres questions; comment avait-on pu ne pas remarquer l'engin ? et comment Pluckley avait-il pu l'installer sans être vu ?

» Ce fut Glass, cette fois, qui nous mena par le bout du nez...

– Allez-y ! fit le médecin en posant brusquement sa bouteille de bière. Ne suis-je pas fait pour vous servir de tête de Turc ?

– Je dis la vérité. Admettons, si cela peut vous faire plaisir, que votre imagination est seule coupable, mais, aussitôt lancé sur l'hypothèse d'un dispositif mécanique, vous nous l'avez représenté volumineux, encombrant, et probablement compliqué : un revolver de 45 placé sur des crochets, ou dans un cadre, ou telle disposition assez imprécise dans votre esprit dont l'installation, à vous entendre, aurait demandé autant de temps qu'une inspection d'artillerie.

» Or, reprenons toutes les pièces de l'engin fabriqué par Pluckley; en quoi consistent-elles? Nous avons un bout de tuyau de dix centimètres, dans lequel est enfoncée une bougie, une petite résistance, une pile et un baromètre anéroïde ordinaire qui n'a guère plus de six centimètres de diamètre et moins de trois d'épaisseur, le tout relié par un fil métallique. Je me fais fort de faire tenir toute la combinaison assemblée dans un espace de quinze centimètres de long, dix de large et pas loin de cinq de profondeur.

» Dans un espace?

» Dans une boîte... comme celle-ci, par exemple.

Il tira de sa serviette une boîte de carton d'un noir mat sur laquelle se détachait en grosses majuscules blanches l'inscription : *Black Beauty Chocolate Peppermints*; sur l'un des côtés on voyait un petit trou rond dans lequel était engagé obliquement un tube métallique.

– Vous vous rappelez, poursuivit Hornbeam, que nous avions trouvé une boîte semblable, mais complètement brisée, au fond de la cage d'ascenseur. Or, un carton ne se casse pas en tombant, fût-ce d'une grande hauteur, à moins de renfermer un objet assez pesant. Tel fut le cas. Remarquez le petit volume de cette boîte, elle est cependant tout équipée.

» Répétons une fois de plus que seul Pluckley

pouvait opérer à volonté toutes les manipulations voulues dans cet ascenseur au cours des vérifications régulières qu'il exécutait depuis des années. Libre à lui d'y mettre le temps nécessaire, il pouvait prendre ses mesures, estimer à un cheveu près l'endroit exact où sa petite machine infernale devrait être placée, quel angle d'inclinaison il convenait de donner au canon pour atteindre d'une balle en plein cœur un homme d'une taille déterminée qui se tenait invariablement à la même place.

» La boîte elle-même serait placée sur le toit d'acier dc la cabine et seule la bouche du canon dépasserait sur le ciel vitré, un ciel vitré si sale qu'on voyait à peine la lumière à travers. Quelques marques au crayon sur le toit, faites longtemps à l'avance, lui permettraient de placer exactement son engin en deux secondes.

» Voyons maintenant ce qu'a fait Pluckley en inspectant le toit de l'ascenseur le matin du crime et référons-nous au témoignage de Mrs Tailleur qui l'a vu et lui a parlé à plusieurs reprises. Pluckley, au moyen du treuil à bras, a fait descendre la cabine de façon à amener le toit un peu au-dessus du sommet de la porte. Puis, voici textuellement ce que dit Mrs Tailleur :

» Muni de sa torche électrique, il est monté sur une chaise et a grimpé sur le toit de la cabine qu'il a inspectée soigneusement. Il n'est pas resté plus de deux secondes sur ce toit et n'a rien fait d'autre que diriger la lumière de sa torche dans la cage de l'ascenseur où tout était parfaitement en ordre.

» Laissons de côté sa vérification, qui n'était qu'un bluff, pour nous inquiéter de savoir si Mrs Tailleur pouvait, de sa place, voir le toit de la cabine. Certainement pas, car il se trouvait juste en dessous du sommet de la porte. La cabine mesure deux mètres soixante de haut et Pluckley, malgré sa taille élevée, a dû monter sur une chaise pour y grimper. Dès l'instant que Mrs Tailleur ne voyait pas le toit de la cabine, elle n'a pas pu voir Pluckley placer la petite boîte au point précis repéré d'avance.

» On m'a dit que ce dernier portait une salopette : ce genre de vêtement comporte des poches profondes où la boîte pouvait être facilement dissimulée. Il avait achevé d'équiper son engin en reliant les fils souples aux boutons métalliques du baromètre anéroïde pendant qu'il se trouvait dans la chambre du moteur, quelques minutes auparavant. Pluckley prit une ultime précaution qui lui vint à l'esprit au dernier moment.

» La cage d'ascenseur, comme vous l'avez sans doute remarqué, est assez sombre. Le toit métallique de la cabine est noir et noire était la boîte, mais deux dangers pouvaient néanmoins se présenter : une personne douée d'une excellente vue, et placée assez près, pouvait remarquer l'inscription en lettres blanches sur la boîte de chocolats. En outre, si le baromètre anéroïde ne fonctionnait pas au premier voyage de sir Ernest, une petite secousse, ou de simples vibrations, pouvaient déplacer très légèrement l'engin et lui faire manquer son but.

» Pluckley envisagea ces éventualités – remarquez que je développe ici une idée personnelle – au dernier moment et trouva aussitôt le moyen d'y parer. En montant à la chambre du moteur par l'escalier intérieur placé entre deux bibliothèques, il chipa un livre et le fourra dans une de ses immenses poches.

» C'était le volume de la collection du *Spectator*, de dimension convenable pour mantenir la boîte en place, et qui aurait le double avantage de dissimuler les lettres blanches; la reliure noire achèverait de rendre l'engin invisible.

» Voilà toute l'histoire. Pluckley a grimpé sur le toit de la cabine où Mrs Tailleur ne pouvait le voir, placé sa boîte de carton et le livre par-dessus. Il était à ce moment un peu plus de 11 h 30. Voyons donc à quoi se résume le témoignage :

» – Il n'y est pas resté plus de deux secondes.

» Evidemment! L'opération ne demandait pas davantage.

» – Et il n'y a rien fait.

» Vous voulez dire, madame, que vous n'avez pas vu ce qu'il avait fait. Pluckley n'avait plus qu'à sortir du temple pour se créer un alibi.

» A 12 h 15, sir Ernest a pénétré dans son ascenseur particulier et a pressé le bouton pour se rendre au rez-de-chaussée. Il est descendu assez loin cette fois pour contraindre l'aiguille du baromètre à remonter. Le coup est parti, provoquant une violente détonation, la balle a fracassé le ciel vitré et frappé sir Ernest Tallant en plein cœur. Mais ce n'est pas tout – l'astucieux Pluckley n'avait rien laissé au hasard – : l'engin, par le recul de l'explosion, est allé frapper les parois de la cage et a rebondi contre le bord arrondi du toit de la cabine avant de tomber naturellement jusqu'au fond de la fosse.

» C'est là que sont allés échouer pendulette, baromètre, livre, pile, résistance et fil – la bougie a dû glisser dans quelque interstice, car nous ne l'avons pas encore retrouvée – et Hastings, le portier, a entendu leur chute : c'est le bruit sourd auquel il a fait allusion.

Hornbeam s'arrêta pour respirer. Glass remplit aussitôt son verre.

– Toute cette reconstitution n'était qu'une hypothèse personnelle, mais une hypothèse solidement étayée. Vous vous souvenez de ce que nous savions de Haviland ? Au moment de la détonation, Haviland, debout sur une chaise placée devant le panneau vitré de la porte d'ascenseur – au second étage –, se trouvait en situation de regarder la cage vers le bas, et, après le passage de la cabine, il pouvait en apercevoir l'intérieur comme dans une sorte de microscope. Nous avions calculé que le toit de l'ascenseur devait se trouver à peu près au niveau de son étage au moment de la détonation. Or, Haviland est extrêmement calé en mécanique, et nous savons qu'après le coup de feu il a ri.

» Vous y êtes ? Comprenez-vous pourquoi je désirais tant obtenir son témoignage ? Car si j'avais enfin trouvé la véritable explication, Haviland, lui, avait dû voir partir le coup. Mais je ne voulais rien précipiter; une inquiétude me restait : que Haviland ait aperçu l'engin, très bien, mais pourquoi miss Tallant qui se trouvait aussi près que lui, ne l'avait-elle pas vu ?

» Vous savez ce qui s'est passé. Haviland a eu le toupet de me raconter une histoire à dormir debout, sur un ton qui n'aurait pas fait illusion à un enfant. J'en ai conçu, il faut bien l'avouer, une vive irritation, car il savait parfaitement à quoi s'en tenir, non seulement sur le drame, mais sur l'engin de mort dont il avait deviné le mécanisme dès qu'il l'avait vu. Après ce qu'il avait laissé échapper devant miss Wicks, j'en étais sûr.

Le Dr Glass l'arrêta du geste.

– Permettez-moi d'éclaircir au passage cette question qui m'intrigue, dit-il. Je présume que Haviland n'a jamais fait l'inconvenante allusion à des végétations adénoïdes qu'elle a cru entendre, mais qu'il a prononcé le mot « anéroïde »?

– Naturellement.

– Pourquoi « naturellement »? Du diable si...

– Le simple bon sens indiquait qu'on ne pouvait interpréter le mot autrement, dit Hornbeam, mais j'aimerais assez savoir pourquoi Haviland m'a raconté toutes ces balivernes. Il savait parfaitement que sir Ernest n'était pas mort au moment où la cabine a passé devant lui et son histoire n'était qu'un tissu de mensonges.

Le Dr Glass acheva son verre de bière avant de se lancer dans les considérations philosophiques si chères à son cœur.

– Mon pauvre Dave, dit-il, si vous croyez que Mr Grey Haviland, après avoir découvert un secret de cette envergure – un secret si étonnant, si sensationnel qu'il a éprouvé le besoin de fuir le temple et d'aller s'enivrer pour mieux s'en pénétrer – allait, de son plein gré, dévoiler aussitôt le mystère à n'importe qui, c'est que vous ignorez complètement la mentalité des individus de son espèce. Haviland, c'est Manfred le Cynique, Ignace le Mystagogue, il entendait profiter au maximum de l'arme secrète qui lui permettait de tourmenter et d'inquiéter tout le personnel du temple. Je suis persuadé qu'il vous aurait enfin dit la vérité, mais pas avant d'avoir épuisé son venin. Je sais que vous représentez la loi et qu'à ce titre tous les bons citoyens sont tenus de vous prêter assistance. Haviland est effrayé par nombre de choses, il a peur de perdre sa situation, peur d'être roulé, peur de son ombre peut-être, mais peur de la police, certainement pas! Il nous l'a bien montré et, à ce petit jeu-là, il pourrait vous rendre des points.

– J'avoue ne pas comprendre, dit Hornbeam.

– Certaines de vos manières de voir restent également un mystère pour moi, dit Glass. Mais continuez, Haviland n'a rien de mystérieux.

– Je n'ai pas grand-chose à ajouter. Haviland me communiqua presque toutes les données du problème, mais c'est vous qui l'avez résolu.

– Lui ? s'écria Lester en désignant le médecin.

– Oui, en dressant les grandes lignes d'un acte d'accusation contre une autre personne, il a achevé de me convaincre que Pluckley était coupable. Cela vous étonne ? Simple affaire de bon sens, encore une fois, dit Hornbeam, qui poursuivit en cherchant ses mots. Glass a aplani la principale objection qui s'opposait encore à ma théorie : si la boîte se trouvait vraiment sur le toit de l'ascenseur, ne cessais-je de me répéter, pourquoi Glass, d'une part, et miss Tallant, de l'autre, ne l'avaient-ils pas remarquée ? Naturellement, Horry m'avait induit en erreur : je reconnais qu'il avait avoué s'être trouvé au milieu de la salle d'attente du quatrième lorsque la cabine était passée devant la porte, à l'extrémité de la pièce, mais il n'en avait pas moins juré qu'il n'y avait rien sur le toit. Or, pour apercevoir à cette distance une boîte noire, couverte d'un livre noir, sur un toit noir, dans cette sombre cage d'ascenseur, il faudrait avoir des yeux de lynx, et je n'ai pas pris son témoignage en considération. Il n'en était pas de même pour vous, miss Tallant, qui vous trouviez aussi près de l'ascenseur que Haviland, et je n'y compris rien avant de savoir que vos yeux n'étaient pas tout à fait normaux.

– Pas tout à fait normaux ! s'emporta Patricia. Que diable voulez-vous dire ?

– Il s'agit simplement d'un léger astigmatisme, ma chère petite, se hâta de dire Glass. Vous n'aurez donc jamais de tact, mon pauvre Dave !

– Ce paquet noir sur le toit de la cabine aurait pu tromper n'importe qui, reprit Hornbeam, d'autant que le ciel vitré était enduit d'une épaisse couche de crasse qui laissait à peine filtrer la lumière électrique de l'intérieur. Une question de Glass emporta mon dernier doute : pourquoi le coup de feu avait-il été tiré à travers le ciel vitré ? Pour un tireur, fût-il exceptionnellement adroit, cette cible mouvante vue à travers un verre opaque, et sous cet angle, offrait le maximum de difficultés, mais pour un engin mécanique, c'était la disposition idéale. J'en conclus que mes suppositions étaient justes et peu après, Haviland, poussé dans ses derniers retranchements, m'avoua la vérité.

» Voici pour le premier crime. Le second, s'il n'implique pas de dispositif extraordinaire, offre par contre un alibi sensationnel. Quelques questions restent encore en suspens : quel motif réel détermina Pluckley à sectionner à demi les câbles avec un chalumeau ? Etait-ce pour assassiner plus facilement Corinth – je suis persuadé qu'il a toujours eu l'intention de le tuer – ou a-t-il simplement saisi l'occasion propice ?

» Rien de plus facile pour lui que d'atteindre les câbles. Il s'est faufilé dans l'immeuble – comme chef mécanicien il possédait la clef – entre le court instant où nous nous sommes absentés pour dîner et le retour de mes hommes. Lorsque Biggs et Davis commencèrent les fouilles au fond de la cage d'ascenseur, j'imagine que Pluckley prit subitement peur : c'est la réaction classique du criminel. Soyez cependant certains qu'il s'attendait à nous voir visiter cette fosse sous la cabine. Ceci nous amène à la question suivante : celle de la statuette d'argent mutilée et du tuyau supplémentaire.

» J'avais trouvé étrange que personne ne s'inquiétât de cette statuette. Elle ne figurait même pas sur la liste des objets disparus bien qu'elle eût une réelle valeur et j'entrevois clairement maintenant ce qui a dû se passer : Pluckley jeta un coup d'œil au fond de la fosse – la cabine était alors suspendue un peu au-dessus du rez-de-chaussée – et sachant que tous les éléments de son engin se trouvaient là, il craignit soudain que nous arrivions à en tirer de dangereuses conclusions. Enlever une partie des objets risquait également de donner l'éveil si quelqu'un s'avisait de leur disparition – peut-être a-t-il néanmoins emporté la bougie – mais en ajouter d'autres pouvait nous dérouter. Il monta au cinquième étage et s'empara, dans le bureau de sa victime, d'une statuette qui avait été offerte autrefois à sir Ernest. Après l'avoir mutilée, il la jeta au fond de la cage avec un vieux bout de tuyau hors d'usage destiné à détourner l'attention du premier. Il cherchait, ce faisant, à brouiller la piste au maximum. Tout ceci n'est que suppositions, bien entendu, mais je serais bien étonné qu'elles ne soient pas exactes.

» Ces précautions n'étaient pas suffisantes, à son avis. Il en est toujours ainsi. Vous vous souvenez, Horry, du cas Hilary Graves, le « coroner diabolique »? Cet imbécile ne se déclara satisfait qu'après avoir accumulé suffisamment de faux indices pour le faire pendre. Il est possible que Pluckley, dans son inquiétude, ait imaginé d'affaiblir les câbles de l'ascenseur, mais je ne crois pas qu'il ait eu l'intention de provoquer un accident mortel. Son but était probablement plus simple : l'ascenseur tomberait fatalement, on mettrait un certain temps à le remettre en état : il pourrait offrir ses services et profiter de la confusion générale pour changer de place les objets de la fosse et les embrouiller si bien que personne ne saurait plus au juste ce qui s'y trouvait à l'origine. Malheureusement pour lui, tout avait été retiré de la cage avant la chute de la cabine.

» Je viens de vous donner l'interprétation la plus charitable de sa conduite; libre à vous d'en choisir une autre. Personnellement je ne crois pas qu'il ait provoqué la rupture des câbles dans l'intention de déterminer un fracas assez violent pour couvrir la détonation lorsqu'il tuerait Corinth, mais il a certainement profité du bruit pour faire son coup. Pluckley s'attendait à la chute imminente, dont il avait pu suivre, comme nous-mêmes, les signes précurseurs et nos propres paroles achevèrent de le fixer – vous vous souvenez de l'extraordinaire acoustique du temple, qui amplifie tous les bruits. Pluckley, revolver en main – un vrai revolver de 45 cette fois –, guettait Corinth depuis l'antichambre obscure. Au moment précis où l'ascenseur s'écrasa au fond de la cage, il fit un pas en avant et tira. Mais je mettrais ma main au feu qu'il éprouva aussitôt après une terreur sans nom en m'entendant annoncer – je parlais fort et la voix porte – que j'allais lui téléphoner.

» L'instant était critique, mais il inventa aussitôt un ingénieux expédient. Je venais d'envoyer Patterson, Biggs et Davis fouiller les étages supérieurs. Le hall, par conséquent, se trouva complètement libre lorsque Glass et moi entrâmes au salon pour téléphoner, et une obscurité totale régnait dans sa partie antérieure.

» Je dois noter que nous avions perdu de vue un élément capital; Glass se le rappela subitement plus tard et comprit du coup ce qui s'était passé. Dans toutes les maisons de commerce un peu importantes, les communications téléphoniques avec l'extérieur passent par un standard; celui du temple – comme nous l'avons déjà fait remarquer – se trouve derrière le bureau de renseignements et pendant les heures de travail un employé spécialement affecté à cet effet est assis en permanence devant le tableau. Pour obtenir d'un bureau quelconque une communication au-dehors, il faut parler d'abord à l'employé du standard qui demande le numéro, et branche ensuite votre téléphone intérieur sur la ligne extérieure, mais la nuit – ou à n'importe quel moment en dehors des heures de bureau – il n'y a d'ordinaire qu'une seule ligne reliée au central téléphonique : celle du patron. Tous les autres téléphones sont coupés, car leurs appels doivent nécessairement passer par le standard. Vous voyez donc que le téléphone du salon, le soir de l'assassinat de Corinth, n'était pas relié à l'extérieur. Malheureusement nous n'y avons pas pensé et Pluckley allait profiter de la situation. Il s'installa tranquillement au standard et lorsque je demandai le numéro de son domicile, il me brancha directement avec la ville pour me permettre d'entendre la sonnerie habituelle. Puis, avant que personne ait eu le temps chez lui de prendre le récepteur, il coupa la communication et me parla lui-même comme s'il me répondait de Lambeth. Après quoi il réussit à s'échapper sans être vu. Voilà toute l'histoire.

» Lorsque nous aurons éclairci la question du revolver, vous aurez tous les détails de l'affaire. Le fait de l'avoir caché dans les lavabos ne tient pas plus de la farce – il n'y a jamais eu la moindre intention humoristique dans les agissements du meurtrier – que des subtilités d'un autre ordre dont parle Glass; c'était un moyen pratique de s'en débarrasser. Evidemment, la découverte de l'arme dans un laps de temps assez court ne faisait aucun doute mais l'idée que Corinth et sir Ernest avaient été tués tous deux par le même revolver s'en trouverait renforcée du coup. Quant à Mr Lester, s'il était soupçonné, tant pis pour lui! Cette cachette offrait un autre avantage – le principal à mon avis – en permettant l'immersion prolongée du revolver dans l'eau.

» Vous vous souvenez de l'emploi des six cartouches contenues dans le magasin : quatre avaient été tirées antérieurement pour obtenir un projectile portant les marques d'un canon de 45, la cinquième avait été vidée pour fabriquer la charge du fameux engin et par conséquent la chambre correspondante était nette; la sixième, tirée en dernier lieu sur Corinth, avait laissé des traces de décharge récente dans le canon; mais il était fort possible qu'un expert armurier, en examinant l'arme de près, s'aperçoive qu'une seule cartouche avait été tirée récemment, ce qui eût déjoué le plan habile de Pluckley. Or, l'immersion prolongée du revolver rendait cette constatation impossible. On pourrait dire que cette affaire criminelle est, d'un bout à l'autre, une application pratique de mécanique élémentaire... Et, sur cette réflexion, nous pouvons mettre le point final.

Le Dr Glass poussa une exclamation.

– Le point final! Il vous suffit, évidemment, d'avoir mis tous les rouages en place et de nous avoir expliqué comment les miracles peuvent se produire; mais de Pluckley lui-même vous n'avez rien dit!

– C'était une mauvaise nature, dit Hornbeam.

– Votre jugement est sans doute exact au point de vue moral, mais il ne diminue pas mon intérêt pour l'intelligence, le cœur et même l'âme de l'individu, si tant est qu'il en eût une!

Glass se tourna vers Patricia.

– Je voudrais vous poser une question à laquelle vous ne répondrez pas si cela vous est trop pénible : Pluckley avait-il misé à coup sûr en tablant sur votre affection pour lui? Est-il vrai que vous le jugiez lésé par votre oncle et lui auriez-vous confié une fonction importante dans votre maison d'édition?

– Naturellement, dit Patricia dont les mains se crispèrent, et c'est bien ce qui me fait si mal au cœur! Dire qu'il ruminait ce projet infernal depuis si longtemps, lui que je connaissais depuis toujours, que je traitais presque comme un parent! Il me considérait comme une gamine à laquelle il aurait pu donner une fessée à l'occasion. Je savais de quelle façon mon oncle l'avait frustré, et je crois vous avoir déjà dit que je comptais, en prenant la direction de la maison, faire quelques changements heureux en tenant compte des mérites de chacun. Pluckley aurait été le premier à recevoir une compensation; je lui aurais rendu sa revue pour commencer et ne me serais pas arrêtée là. Imaginez ce que j'ai pu ressentir dans ma cachette, l'autre soir, lorsque je l'ai entendu parler! C'était horrible! horrible!

– Patricia! fit Lester plein de compassion.

– C'est ce banquet de jubilé qui l'a décidé à agir, poursuivit-elle. Il avait dû méditer son forfait odieux depuis des mois, des années peut-être, sans oser le mettre à exécution, mais il a suffi qu'on lui infligeât l'humiliation de recevoir cette médaille en une telle circonstance pour qu'il l'accomplisse.

Lester attira la jeune fille dans ses bras.

– C'est là, croyez-vous, l'explication de sa mentalité?

Glass considéra les jeunes gens et poussa un soupir. Il s'approcha de la fenêtre donnant sur ce balcon de si tragique mémoire, et, se tournant vers eux, très théâtral, il conclut :

– Bien plus, c'est l'explication même du Crime.

Les Maîtres du Roman Policier

Première des collections policières en France, Le Masque se devait de rééditer les écrivains qu'il a lancés et qui ont fait sa gloire.

ANDREOTA Paul
1935 La pieuvre *(avril 89)*
ARMSTRONG Anthony
1859 Dix minutes d'alibi
ARMSTRONG Charlotte
1740 L'étrange cas des trois sœurs infirmes
1767 L'insoupçonnable Grandison
BEEDING Francis
238 Le numéro gagnant
BERKELEY Anthony
1793 Le club des détectives
1880 Une erreur judiciaire
1911 Le gibet imprévu
BIGGERS Earl Derr
1730 Le perroquet chinois
BOILEAU Pierre
252 Le repos de Bacchus *(Prix du Roman d'Aventures 1938)*
1774 Six crimes sans assassin
1938 La pierre qui tremble
BOILEAU-NARCEJAC
1748 L'ombre et la proie
1829 Le second visage d'Arsène Lupin
1849 Le secret d'Eunerville
1868 La poudrière
1889 La justice d'Arsène Lupin
BONETT J. & E.
1916 Mort d'un lion
BRUCE Leo
261 Trois détectives
1788 Sang-froid
CARR John Dickson
719 Passe-passe *(juillet 89)*
1274 Impossible n'est pas anglais
1735 Suicide à l'écossaise
1785 Le sphinx endormi
1794 Le juge Ireton est accusé
1799 On n'en croit pas ses yeux
1802 Le marié perd la tête
1843 Les yeux en bandoulière
1850 Satan vaut bien une messe
1863 La maison du bourreau
1876 La mort en pantalon rouge
1883 Je préfère mourir
1891 Le naufragé du Titanic
1898 Un fantôme peut en cacher un autre
1906 Meurtre après la pluie
1910 La maison de la terreur
1917 L'homme en or
1919 Service des affaires inclassables
1923 Trois cercueils se refermeront...
1926 Patrick Butler à la barre
1934 La flèche peinte
1940 Le lecteur est prévenu
1944 Le gouffre aux sorcières *(janv. 89)*
1946 La police est invitée *(fév. 89)*
1950 Mort dans l'ascenseur *(mars 89)*
1954 Les meurtres de Bowstring *(avril 89)*
1957 Le retour de Bencolin *(mai 89)*
1960 Le meurtre des mille et une nuits *(juin 89)*
CRISPIN Edmund
1839 Un corbillard chasse l'autre
1935 Prélude et mort d'Isolde
DARTOIS Yves
232 L'horoscope du mort
DIDELOT Francis
1784 Le coq en pâte
DISNEY Doris Miles
1811 Imposture
DOYLE Sir Arthur Conan
124 Une étude en rouge
1738 Le chien des Baskerville
ENDRÈBE Maurice Bernard
1758 La pire des choses
FAIR A.A.
1745 Bousculez pas le magot
1751 Quitte ou double
1770 Des yeux de chouette
1905 Le doigt dans l'œil
1913 Les souris dansent
1941 L'heure hache
FAST Julius
1901 Crime en blanc
GARDNER Erle Stanley
1797 La femme au masque
GASPAR José da Natividade
457 Les corps sans âme
597 Congrès gastronomique *(mai 89)*
GERRARD Paul
1945 La chasse au dahu *(fév. 89)*
1964 La javanaise *(juil. 89)*
GOODIS David
1823 La police est accusée
GRAFTON C.W.
1927 Feu mon beau-frère

HALL G. Holliday
1892 L'homme de nulle part

HEYER Georgette
297 Pourquoi tuer un maître d'hôtel?
484 Noël tragique à Lexham Manor

HUXLEY Elspeth
1764 Safari sans retour

IRISH William
1875 Divorce à l'américaine
1897 New York blues

JEFFERS H. Paul
1807 Irrégulier, mon cher Morgan

KASSAK Fred
1932 On n'enterre pas le dimanche
1943 Nocturne pour assassin *(janv. 89)*

KASTNER Erich
277 La miniature volée

KING Rufus
375 La femme qui a tué

LEBLANC Maurice
1808 Arsène Lupin, gentleman cambrioleur
1819 L'aiguille creuse

LEBRUN Michel
1759 Plus mort que vif

LEVIN Ira
1895 La couronne de cuivre

LOVESEY Peter
1201 Le vingt-sixième round
1798 La course ou la vie
1803 Le bourreau prend la pose
1869 Bouchers, vandales et compagnie
1887 Le médium a perdu ses esprits
(Prix du Roman d'Aventures 1987)
1888 Ô, mes aïeux!
1933 Cidre brut

MAGNAN Pierre
1804 Le tombeau d'Helios

MILLER Wade
1766 La foire aux crimes

MILNE A.A.
1527 Le mystère de la maison rouge

NARCEJAC Thomas
355 La mort est du voyage
(Prix du Roman d'Aventures 1948)
1775 Le goût des larmes
1939 Le mauvais cheval

PALMER Stuart
117 Un meurtre dans l'aquarium
1783 Hollywood-sur-meurtre

PRONZINI Bill
1737 L'arnaque est mon métier

QUENTIN Patrick
166 Meurtre à l'université
251 L'assassin est à bord
1860 Lettre exprès pour miss Grace
1947 La mort fait l'appel *(fév. 89)*

ROGERS J. T.
1908 Jeu de massacre

ROSS Jonathan
1756 Une petite morte bien rangée

RUTLEDGE Nancy
1753 Emily le saura

SAYERS Dorothy L.
174 Lord Peter et l'autre
191 Lord Peter et le Bellona Club
1754 Arrêt du cœur

SÉCHAN O. et MASLOWSKI I.
395 Vous qui n'avez jamais été tués
(Prix du Roman d'Aventures 1951)

SHERRY Edna
1779 Ils ne m'auront pas

SINIAC Pierre
1949 Des amis dans la police *(mars 89)*

STAGGE Jonathan
1736 Chansonnette funèbre
1771 Morphine à discrétion
1789 Du sang sur les étoiles
1809 La mort et les chères petites
1818 Le taxi jaune
1833 Pas de pitié pour la divine Daphné

STEEMAN Stanislas-André
84 Six hommes morts
(Prix du Roman d'Aventures 1931)
95 La nuit du 12 au 13
101 Le mannequin assassiné
113 Un dans trois
284 L'assassin habite au 21
305 L'ennemi sans visage
388 Crimes à vendre
1772 Quai des Orfèvres
1812 La morte survit au 13
1854 Le trajet de la foudre
1864 Le condamné meurt à 5 heures
1902 Le démon de Sainte-Croix
1936 Que personne ne sorte
1942 Poker d'enfer
1955 Madame la mort *(avril 89)*

TEY Josephine
1743 Elle n'en pense pas un mot

THOMAS Louis C.
1780 Poison d'avril

VERY Pierre
60 Le testament de Basil Crookes
(Prix du Roman d'Aventures 1930)

WALSH Thomas
1872 Midi, gare centrale

WAUGH Hillary
1814 Cherchez l'homme
1840 On recherche...
1884 Carcasse

Les Reines du Crime

Nouvelles venues ou spécialistes incontestées, les grandes dames du roman policier dans leurs meilleures œuvres.

BLACKMON Anita
1912 On assassine au Richelieu
1956 On assassine au Mont-Lebeau *(avril 89)*

BRAND Christianna
1877 Narcose
1920 Vous perdez la tête

CANNAN Joanna
1820 Elle nous empoisonne

CHRISTIE Agatha
(86 titres parus, voir catalogue général)

DISNEY Dorothy C.
1937 Carnaval

DISNEY D.C. & PERRY G.
1961 Des orchidées pour Jenny *(juin 89)*

EBERHARDT Mignon
1825 Ouragan

KALLEN Lucille
1816 Greenfield connaît la musique
1836 Quand la souris n'est pas là...

LEE Gypsy Rose
1893 Mort aux femmes nues
1918 Madame mère et le macchabée

LE FAUCONNIER Janine
1639 Le grain de sable
1915 Faculté de meurtres *(Prix du Festival de Cognac 1988)*

LONG Manning
1831 On a tué mon amant
1844 L'ai-je bien descendue ?

McCLOY Helen
1841 En scène pour la mort
1855 La vérité qui tue

McGERR Pat
1903 Ta tante a tué

McMULLEN Mary
1921 Un corps étranger

MILLAR Margaret
723 Son dernier rôle
1845 La femme de sa mort
1896 Un air qui tue
1909 Mortellement vôtre
1928 Le territoire des monstres

MOYES Patricia
1824 La dernière marche
1856 Qui a peur de Simon Warwick ?
1865 La mort en six lettres
1914 Thé, cyanure et sympathie

NATSUKI Shizuko
1861 Meurtre au mont Fuji

NIELSEN Helen
1873 Pas de fleurs d'oranger

RENDELL Ruth
1451 Qui a tué Charlie Hatton ?
1501 Fantasmes
1521 Le pasteur détective
1532 L'analphabète
1582 Ces choses-là ne se font pas
1616 Reviens-moi
1629 La banque ferme à midi
1649 Le lac des ténèbres
1688 Le maître de la lande
1806 Son âme au diable
1815 Morts croisées
1834 Une fille dans un caveau
1851 Et tout ça en famille...
1866 Les corbeaux entre eux
1951 Une amie qui vous veut du bien *(mars 89)*
1965 La danse de Salomé *(juil. 89)*

RICE Craig
1835 Maman déteste la police
1862 Justus, Malone & Co
1870 Malone et le cadavre en fuite
1881 Malone est à la noce
1899 Malone cherche le 114
1924 Malone quitte Chicago
1962 Malone met le nain au violon *(juin 89)*

RUTLEDGE Nancy
1830 La femme de César

SEELEY Mabel
1871 D'autres chats à fouetter
1885 Il siffle dans l'ombre

SIMPSON Dorothy
1852 Feu le mari de madame

THOMSON June
1857 Finch se jette à l'eau
1886 Plus rude sera la chute
1900 Sous les ponts de Wynford
1948 Dans la plus stricte intimité *(fév. 89)*

YORKE Margaret
1958 Morte et pas fâchée de l'être *(mai 89)*

LE MASQUE

BACHELLERIE
1791 L'île aux muettes
(Prix du roman d'Aventures 1985)
1795 Pas de quoi noyer un chat
(Prix du Festival de Cognac 1985)
1796 Il court, il court, le cadavre
1800 La rue des Bons-Apôtres

BRETT Simon
1787 Le théâtre du crime
1813 Les coulisses de la mort
1858 Chambres avec vue sur la mort
1894 Qui portera le chapeau ?
1929 Touche pas à mon système

BURLEY W.J.
1762 On vous mène en bateau

CHRISTIE Agatha
(86 titres parus, voir catalogue général)

EXBRAYAT
(96 titres parus, voir catalogue général)

GRISOLIA Michel
1838 Les sœurs du Nord
(Prix du Roman d'Aventures 1986)
1846 L'homme aux yeux tristes
1847 La madone noire
1874 La promenade des anglaises
1890 650 calories pour mourir
1907 Nocturne en mineurs
1930 Question de bruit ou de mort

HALTER Paul
1878 La quatrième porte
(Prix du Festival de Cognac 1987)
1922 Le brouillard rouge
(Prix du roman d'Aventures 1988)
1931 La mort vous invite

HAUSER Thomas
1853 Agathe et ses hommes

JONES Cleo
1879 Les saints ne sont pas des anges

LECAYE Alexis
1963 Un week-end à tuer *(juil. 89)*

POURUNJOUR Caroline
1746 Des voisins très inquiétants
(Prix du Festival de Cognac 1984)

RENDELL Ruth
1589 Étrange créature
1601 Le petit été de la Saint Luke
1640 Un amour importun
1718 La fille qui venait de loin
1747 La fièvre dans le sang
1773 Qui ne tuerait le mandarin?
(voir également la série Reines du Crime)

SALVA Pierre
1828 Le diable au paradis perdu

SMITH J.C.
1715 La clinique du Dr Ward

TAYLOR Elizabeth A.
1810 Funiculaire pour la morgue

TERREL Alexandre
1733 Rendez-vous sur ma tombe
1749 Le témoin est à la noce
(Prix du Roman d'Aventures 1984)
1757 La morte à la fenêtre
1777 L'homme qui ne voulait pas tuer
1792 Le croque-mort de ma vie
1801 Le croque-mort s'en va-t-en bière
1822 Le croque-mort et les morts vivants
1867 Le croque-mort et sa veuve
1904 Enterrez le croque-mort !
1925 Le croque-mort a croqué la pomme

THOMSON June
1594 Le crime de Hollowfield
1605 Pas l'un de nous
1720 Claire... et ses ombres
(Prix du Roman d'Aventures 1983)
1721 Finch bat la campagne
1742 Péché mortel
1769 L'inconnue sans visage
1781 L'ombre du traitre
(voir également la série Reines du Crime)

TRIPP Miles
1790 Tromper n'est pas jouer

UNDERWOOD Michaël
1817 Trop mort pour être honnête
1842 A ne pas tuer avec des pincettes

VARGAS Fred
1827 Les jeux de l'amour et de la mort
(Prix du Festival de Cognac 1986)

WYLLIE John
1752 Pour tout l'or du Mali

IMPRIMÉ EN FRANCE PAR BRODARD ET TAUPIN
Usine de La Flèche (Sarthe).
ISBN : 2 - 7024 - 1877 - 5
ISSN : 0768 - 1089

H 52/0080/3